가슴 찡한 우리 이웃들의 이야기

연탄길

가슴 찡한 우리 이웃들의 이야기
연탄길

초 판 발 행 | 2000년 8월 5일
초 판 41 쇄 | 2002년 3월 4일

지 은 이 | 이철환
펴 낸 이 | 이정아
펴 낸 곳 | 삼진기획

주 간 | 이형진
기 획 이 사 | 김기태
기 획 차 장 | 허윤형
편 집 팀 | 홍명숙, 김영순
마 케 팅 팀 | 박연, 김연규
관 리 팀 | 서명희
표 지 디 자 인 | 조혁준

출판등록번호 | 제10-985호(1995. 7. 11)
주 소 | 121-882 서울시 마포구 창전동 330번지 서강빌딩 4층
전 화 | (02) 332-5441
팩 스 | (02) 332-5622
홈 페 이 지 | www.samzin.co.kr
E - m a i l | webmaster@samzin.co.kr

Printed in Korea 2000
ISBN 89-7208-133-7(03810)

가슴 찡한 우리 이웃들의 이야기

연탄길

이철환 글 · 그림

 삼진기획

나를 전부라도 태워,
님의 시린 손 녹여 줄 따스한 사랑이 되고 싶었습니다.
그리움으로 충혈된 눈 파랗게 비비며,
님의 추운 겨울을 지켜 드리고 싶었습니다.
그리고 함박눈 펑펑 내리는 날,
님께서 걸어가실
가파른 길 위에 누워,
눈보다 더 하얀 사랑이 되고 싶었습니다.

우리들 가슴에 별빛으로 남는 이야기

한 남자가 거미처럼 밧줄에 매달려 고층 아파트의 외벽을 칠하고 있었습니다. 몇 번을 봤지만 그를 잡고 있는 줄은 단 한 줄이었습니다. 생명을 지탱해주는 밧줄을 보며 삶이란 목숨을 걸어야 할 만큼 엄숙한 것이라는 생각이 들었습니다. 그의 모습이 고독해 보였습니다. 바로 그때, 아파트 창문이 열리더니 그를 향해 길게 내민 손이 보였습니다. 뚱뚱한 아주머니의 손에는 음료수가 있었습니다. 그 순간 아아, 생명을 붙잡고 있는 건 밧줄만이 아니었구나 하는 생각이 들었습니다.

어린 시절, 내가 사는 산동네에 수북이 눈이 쌓이면 사람들은 저마다 연탄재를 손에 들고 대문 밖으로 나왔습니다. 그리고 눈보다 더 하얗게 사랑을 깔아 놓았습니다. 가난으로 움츠린 산동네 사람들이 어깨를 활짝 펴고 아침을 걸어 내려올 수 있도록…….

이 이야기들은 실화를 바탕으로 4년여 동안 씌어진 것입니다. 구성을 위해 설정된 몇 명의 주변인도 있지만, 주인공은 모두 실제 인물입니다. "각박한 세상에 이런 사랑이 어딨어"라고 생각하는 이들이 있을지 모릅니다. 하지만 볼 수 없다고, 또 느낄 수 없다고 사랑이 없는 건 아닙니다. 신문이나 뉴스, 그리고 〈칭찬합시다〉라는 TV 프로를 보면, 메마른 세상에도 남을 위해 헌신하는 이들이 많이 있습니다.

노량진에 있는 입시학원에서 수많은 아이들을 가르쳤습니다. 사회문제가 돼버린 고액 과외와는 아무런 상관이 없는 아이들. 아이들은 콩나물시루 같은 비좁은 강의실에 앉아 땀을 흘리며 자신의 꿈을 키웠습니다. 나는 그들에게 따뜻한 선생님이 되고 싶었습니다. 하지만 언제나 나는 그 꿈의 언저리에 머물러 있을 뿐이었습니다.

달동네에 살고 있는 아이들과 오랜 시간을 함께 지내며 많은 이야기를 들었습니다. 그리고 그들로부터 들었던 감동적인 이야기를 글로 썼습니다.

어둠 속에서 스스로 빛이 된 사람들의 이야기, 빛이 될 순 없지만 더 짙은 어둠이 되어 다른 이들을 빛내준 사람들의 이야기, 부족함 때문에 오히려 넉넉한 사람들의 이야기……. 나는 그들의 아름다운 이야기를 더 많은 사람들에게 알리고 싶었습니다.

그들은 내게 인간의 존엄성을 일깨워주었습니다. 그리고 아픈 가슴을 꾹꾹 누르면서도 견디고, 또 견뎌주는 게 사랑임을 가르쳐주었습니다.

사랑이 없다면 인간도 공룡처럼 사라지고 말겠지요.

언어로는 도저히 표현할 수 없는 것들은 그림으로 그렸습니다.

카메라를 들고 이곳 저곳 구석진 곳을 헤맸고, 찍어 온 사진 속 사람들의 얼굴 표정 하나까지도 놓치지 않으려고 애썼습니다. 우리가 살고 있는 세상의 정신적 상처와 기쁨을 그대로 담고 싶었기 때문입니다. 하지만 내가 다녔던 곳에는 슬픔보다는 사랑이 낮게, 아주 낮게 봄비를 맞으며 피어나고 있었습니다.

이 책은 단숨에 다 읽을 수도 있습니다. 하지만 시간을 가지고 여러 날 동안 천천히 읽어주기를 바랍니다. 그래야 이야기 하나하나에 더 많은 감동이, 내리는 눈송이처럼 천천히 여러분 마음 속에 쌓일 수 있을 테니까요.

뜨거운 여름, 너무나 애써 주신 삼진기획의 맑고 푸른 눈빛들, 결코 잊지 않겠습니다. 그리고 이 책의 처음부터 끝까지 함께 해주신 하나님, 감사드립니다.

2000년 여름 이철환

차례

3장 우리 다시 만날 때까지

1장 우리가 서로 사랑할 때

너에게 묻는다

주문한 설렁탕이 사무실로 배달되자 사무실 사람들은 식사를 하려고 회의실로 모여들었다. 그때 사무실 문이 열리더니 김 대리가 청소하는 아주머니의 팔을 끌며 안으로 들어왔다.

"왜, 거기서 혼자 식사를 하세요? 우리도 식사를 하려던 참이었는데, 같이 하시면 좋잖아요. 어서 이리 앉으세요."

김 대리는 도시락을 손에 들고 멋쩍어하는 아주머니를 기어코 자리에 앉혔다.

"아니에요. 저는 그냥 나가서 혼자 먹는 게 편한데⋯⋯."

"아주머니, 지도 도시락 싸왔어요. 이기 보세요."

정이 많은 김 대리는 아주머니의 도시락을 뺏다시피 해서 탁자 위에 올려 놓고는 자신의 도시락을 나란히 꺼내 놓았다.

"아니, 왜 이 건물엔 청소하시는 아주머니 식사할 곳 하나가 없어!"

"그러게나 말야."

"글쎄, 날씨도 추운데 옥상으로 올라가는 계단에서 식사를 하시려 하잖아."

김 대리는 안쓰러운 표정을 지으며 동료들에게 말했다. 멀찌감치 듣고만 있던 창수도 그의 말에 고개를 끄덕이며 공감의 표시를 했다.

아주머니가 싸온 반찬통에는 시들한 김치만 가득했다. 숫기가 없는 아주머니는 자신이 싸온 초라한 반찬이 창피했는지 고개를 숙인 채 조심스럽게 식사를 하고 있었다. 김 대리는 아내가 정성스레 준비해준 김이며 장조림이며 명란젓을 몇 번이고 아주머니에게 권해드렸다. 그리고 자신은 아주머니가 싸온 시들한 김치만 먹었다.

"김치 참 맛있네요, 아주머니."

김 대리의 말에 아주머니는 소리 없이 미소만 지었다. 다른 동료들도 아주머니가 싸온 김치를 맛나게 먹었지만, 창수는 단 한 조각도 입에 넣지 않았다.

창수는 왠지 그 김치가 불결해 보였다. 워낙에 시들한 데다가 김치가 담겨 있던 통은 너무 낡아 군데군데 허옇게 벗겨져 있었고 붉은 물까지 들어 있었다.

밥을 다 먹고 나자 창수는 아주머니에게 미안한 생각이 들었다.

그래서 출근할 때 아내가 보온병에 담아준 율무차를 아주머니에게 주었다. 종이컵에 따르면 두 잔이 나오지만 머그잔에 가득 따라 자신은 먹지 않고 아주머니에게만 주었다. 아주머니는 거듭 사양했지만 결국 창수의 성화에 못 이겨 율무차를 마셨다.

대신 창수는 자동판매기에서 커피 네 잔을 뽑아 동료들과 함께 마셨다. 아주머니는 그 자리가 어려웠는지 율무차를 마시는 내내 벽 쪽만 바라보고 있었다.

"정말 맛있게 마셨어요. 근데 제가 다 마셔서 어떻게 하지요?"

"아니에요."

아주머니는 창수가 준 율무차를 조금도 남김 없이 다 마시고는 진심으로 고맙다는 미소를 지었다. 그리고는 머그잔을 씻어다 준다며 밖으로 나갔다.

그 날, 7시쯤 집으로 돌아온 창수를 보자마자 그의 아내가 대뜸 물었다.

"아침에 가져간 율무차 드셨어요?"

"그럼."

"어쩌면 좋아요. 맛이 이상하지 않았어요?"

"왜?"

"아니 글쎄, 율무차에 설탕을 넣는다는 게 맛소금을 넣었지 뭐예요. 저녁을 하다 보니까 내가 설탕 통에 맛소금을 담아 놓았더라구요."

창수는 아내의 말에 아무 말도 할 수 없었다. 그리고 자신의 마음을 다시 돌아보게 되었다.

청소부 아주머니가 싸온 김치를 그가 불결하다고 생각할 때, 아주머니는 소금이 들어 있는 짜디짠 율무차를 마셨다. 조금도 남기지 않고 몇 번이고 맛있다는 말을 되풀이하면서…….

그 날 밤 창수는 밤늦도록 잠을 이루지 못했다. 그의 이불 뒤척이는 소리만이 밤의 고요를 깰 뿐이었다.

연탄재 함부로 발로 차지 마라
너는
누구에게 한 번이라도 뜨거운 사람이었느냐

(안도현의 詩 〈너에게 묻는다〉 중에서)

청소부 아저씨가 힘겹게 고갯길을 오르고 있습니다.
해맑게 웃으며 한 아이가 다가왔습니다.
아저씨의 구슬 땀 속에 꽃등처럼 매달린 환한 미소……
예전의 우리들 모습입니다.
하지만 지금 우리는 너무 멀리 와 있습니다.

꽃을 파는 할머니

민혜네는 국립묘지 앞에서 꽃집을 하고 있었다. 그 부근에는 꽃집이 민혜네 하나뿐이라 꽃을 사려는 사람들은 모두 민혜네로 왔다. 그런데 묘소 앞에는 허리가 활처럼 굽은 할머니 한 분이 좌판에서 꽃을 팔고 있었다.

"아빠, 저 할머닌 좀 웃긴 거 같아. 아빠도 알아? 저 할머니가 묘소 앞에 놓인 꽃들을 몰래 가져다 파는 거?"

"아빠도 알고 있어."

"아니 팔 게 따로 있지, 그걸 가져다 팔면 어떻게 해? 아무래도 관리소 사람들한테 말해야겠어."

"오죽이나 살기 힘들면 죽은 사람들 앞에 놓인 꽃을 가져다 팔겠니? 그냥 모른 척해라."

"아빠는……. 모른 척할 게 따로 있지, 저건 옳은 일이 아니잖아. 사람들 얘기 들어보니까 우리 집에서 사다 갖다 놓은 꽃들을 다음날 새벽에 몰래 가져다가 반값도 받지 않고 팔고 있나 봐."

"옳고 그른 건 누가 보느냐에 따라 달라지는 거야."

"그래도 저 할머닌 욕먹을 짓을 하고 있잖아."

"민혜야, 다른 사람을 욕해서는 안 돼. 우리도 그 사람들과 비슷한 모습으로 살아가고 있으니까. 그리고 이해할 수는 없어도 사랑할 수는 있는 거야."

겨울에는 추운 날씨 탓인지 묘소를 찾는 사람들이 드물었다. 특별한 행사가 있는 날이나 일요일을 제외하고는 하루 서너 명의 손님이 꽃집을 찾는 게 전부였다. 묘소를 찾는 사람들이 적으니 묘소에 놓여진 꽃도 적었다. 민혜는 꽃을 파는 할머니가 허탕을 치고 가는 모습을 올 겨울 들어 벌써 여러 번 보았다.

어느 날 새벽, 민혜는 묘소 반대편에 있는 시민공원으로 산책을 나갔다. 새벽 공기는 상쾌했다. 그때 멀리 보이는 묘소의 중앙 쪽에서 검은 그림자 하나가 보였다. 양쪽 손에 무언가를 들고 느릿느릿 걷고 있는 것을 보니 아무래도 꽃을 가져가는 그 할머니 같아 보였다. 민혜는 그냥 가려다가 당황하는 힐머니의 모습이 보고 싶어서 일부러 그쪽을 향해 걸어갔다. 그런데 잠시 후 민혜는 너무 놀라 걸음을 멈추고 말았다.

희미하게 보이는 그 모습은 할머니가 아니라 바로 자신의 아빠였다. 민혜는 동상 뒤로 얼른 몸을 숨겼다. 몇 번을 다시 보아도 양손에 꽃을 들고 있는 사람은 아빠였다. 설마 아빠가 묘소에 놓인 꽃들을 들고나올 줄은 꿈에도 생각 못 했던 일이었다. 민혜는 계속 아빠를 지켜보았다. 그때 운동복 차림의 한 남자가 거친 숨소리를 내며 아빠의 앞으로 지나갔다. 몹시 당황한 듯한 아빠는 양손에 들고 있던 꽃다발을 묘소에 다시 두고는 주위를 살피며 걸어 나왔다.

　　"아빠……."

　　"어, 아침부터 여긴 웬일이냐?"

　　아빠는 몹시 놀란 표정이었다.

　　"아빠, 근데……. 왜 묘지 앞에 있던 꽃다발을 들고 있었어?"

　　민혜는 더듬거리며 물었다.

　　"응. 봤냐? 겨울이라 하도 꽃을 사가는 사람들이 없어서 그랬어. 묘소 앞에 꽃이 없어서 그런지, 할머니가 요 며칠째 헛걸음을 하시기에……. 하도 안돼 보여서 아빠가 꽃을 좀 갖다 놓은 거야."

　　겸연쩍게 웃고 있는 아빠에게 민혜는 아무 말도 할 수 없었다.

　　민혜의 아빠는 늘 민혜에게 말했다. 우리는 함께 살아가는 사람들에게 빚을 지고 있는 거라고. 우리의 삶이 꺼져 갈 때마다 우리를 살리는 건 우리 자신이 아니라 다른 이들의 헌신적인 사랑이라고.

우리가 서로 사랑할 때

민석은 가족들과 함께 서울 근교의 유원지를 다녀오던 길이었다.

어두운 진입로를 들어설 무렵, 차도 한쪽에 검은 물체가 길게 누워 있는 것이 보였다. 처음에는 도로에 흔히 방치된 거적 정도로 생각했지만, 예감이 심상치 않아 차를 세우고 가까이 가보니, 중년의 사내가 얼굴이 피투성이가 된 채 신음하고 있었다. 사내는 움직이진 못했지만 의식은 남아 있었다. 뺑소니 사고였다.

"어서 차에 태워야겠어. 여보, 나 좀 도와주구려."

"빨리 경찰에 알리는 게 더 낫지 않겠어요?"

그의 아내가 겁에 질린 얼굴로 말했다.

"지금 그럴 시간이 없어. 그러다 이 사람 죽을지도 몰라. 어서 빨리 나 좀 도와줘."

아내의 도움을 받으며 민석은 사내를 차 뒷좌석에 태웠다.

"이 차에 다 탈 수 없으니까 당신이 아이들 데리고 여기서 좀 기다려야겠는데…… . 택시나 버스도 없고 말야. 서둘러 다녀오리다. 우리도 언제 이런 일 당할지 모르지 않소?"

민석은 병원을 향해 차를 몰았다. 그의 아내는 아이들을 데리고 그곳에 남아 있었다. 캄캄한 거리 위로 칼날 같은 바람이 불어대고 있었다. 민석은 병원으로 가는 동안 해면처럼 풀어져 있는 사내를 몇 번이고 뒤돌아보았다.

다행히도 멀지 않은 곳에 병원이 있었다. 그러나 의사는 환자를 보더니 빨리 큰 병원으로 가라고 했다. 민석은 중심가의 큰 병원까지 다시 차를 몰았다. 사내는 응급실로 들어갔고, 민석은 병원 측에 사고 경위를 설명한 후 서둘러 아내와 아이들이 있는 곳으로 갔다.

이미 두 시간이 지난 뒤였다. 도착해보니 아무도 없었다. 몇 번을 소리쳐 불러 보았지만 웅성거리는 바람 소리뿐 아무런 대답도 들리지 않았다. 민석은 불길한 마음을 떨쳐버리려고 안간힘을 쓰며 집으로 향했다. 가는 도중 몇 번이고 집으로 전화를 했지만 아무도 전화를 받지 않았다.

민석이 집 근처에 도착했을 때 사이렌 소리를 내며 119 구조차가 골목을 빠져나가고 있었다. 골목 입구에서부터 아수라장으로 변한 동네의 모습이 그를 더욱 불안케 했다.

소방차의 호스가 폭포처럼 사납게 물을 뿜으며 불길을 잡고 있었다. 민석은 순간 가느다란 비명을 지르며 차에서 내렸다. 불이 난 곳은 바로 그가 살고 있는 빌라였던 것이다. 악마의 이빨처럼 날카롭게 깨어진 유리창은 연거푸 시꺼먼 연기를 뱉어냈다. 그리고 검은 연기 사이로 얼굴을 감추고 있던 불길은 다른 곳으로 그 붉은 손을 뻗치고 있었다. 그는 안절부절못하고 불이 난 곳으로 뛰어갔다. 바로 그때 가까운 곳에서 그의 아내의 울음소리가 들려왔다. 그를 보자 아내와 아이들은 울면서 그에게 달려왔다.

"처제하고 김 서방은?"

민석은 긴장된 표정으로 물었다. 그의 처제네가 바로 위층에 살고 있었기 때문이었다.

"소현이도 무사하고 김 서방도 다 무사해요."

몹시 놀랐는지 그녀는 더듬더듬 말을 했다.

"그런데 어떻게 된 일이야? 내가 얼마나 걱정했는데."

"한 시간쯤 기다리다가 아무래도 당신이 늦어질 거 같아서 소현이에게 전화를 걸었어요. 그래서 소현이가 김 서방하고 자는 애까지 안고 차를 가지고 우리들을 데리러 나왔구요. 그런데 집에 도착해보니 이 지경이 된 거예요. 일층에서 가스가 폭발했대요."

"다른 사람들은 다 빠져나온 거야?"

"잘은 모르겠는데 아까 여러 명이 구급차에 실려갔어요. 어떡해요, 여보……."

그의 아내는 더 이상 말을 못 하고 엉엉 울었다.

불행 중 다행으로 사고 당시 빌라에 있던 사람들이 많지 않아 사상자는 적었다. 그 사고로 가스가 폭발한 102호에 살고 있던 부부가 사망했다.

다음날 아침 일찍 민석의 핸드폰이 울렸다.

"여보세요? 강민석 씨 핸드폰 맞지요?"

"네, 그런데요."

"어떻게 감사의 말씀을 드려야 할지 모르겠어요. 어제 선생님께서 목숨을 구해준 분이 제 남편이에요."

"아, 그러세요. 남편께서는 괜찮으신지요?"

"오늘 새벽에 의식이 돌아왔어요. 선생님 아니었으면 정말 큰일 날 뻔했어요. 이 은혜를 어떻게 다 갚아야 할지 모르겠습니다."

"별말씀을 다 하시네요. 살아 주신 것만으로도 이미 보답을 받은 거지요. 그렇지 않아도 걱정이 돼서 오후쯤 병원에 가려던 참이었는데……."

며칠 뒤, 사내를 치고 달아났던 범인들이 밝혀졌다. 범인들은 사내를 치고 나서 차에서 내리기까지 했는데, 순간적으로 마음을 바꿔 먹고 도망쳤던 모양이었다. 그러나 사고 당시에 의식이 남아 있던 사내가 아주 짧은 순간이었지만 자동차 번호를 보았던 것이다. 그것이 단서가 되어 범인들은 결국 덜미를 잡히고 말았다. 그러나 사내를 치고 달아난 범인들은 이미 이 세상 사람이 아니었다. 그들은 바로 민석이 사는 빌라에서 가스 폭발로 사망한 102호 부부였던 것이다. 뺑소니 사고가 난 곳은 민석의 집 쪽으로 들어가는 어두운 진입로로, 민석의 집에서 차로 15분도 안 되는 가까운 거리였다.

　사람들은 다른 사람의 불행을 보고 마음 아파하기도 하며, 때로는 다른 이들의 불행을 통해 자신의 처지를 위로받기도 한다. 그러나 다른 사람의 불행을 외면할 때, 어쩌면 우리의 불행이 시작되고 있을지도 모른다. 기쁨과 슬픔의 몫은 인간 누구에게나 공평하기 때문이다. 세상이 아무리 비인간적이고 이기적으로 변해 간다 해도 사랑은 우리가 살아가는 이유다.

　영화를 보거나 소설을 읽다 보면, 저런 우연이 정말 있을까 하고 사람들은 의문을 갖는다. 하지만 우리가 살아가는 세상엔 생각보다 더 많은 우연이 있고, 생각보다 더 큰 사랑이 있다. 그 중에는 단순한 우연도 있지만 우연처럼 보이는 하늘의 섭리도 있다. 하늘의 섭리는 반딧불처럼 반짝거리며 어둠 속에 있는 이들을 인도하며 때로는 뾰족한 쇠사슬이 되어 악인의 손발을 꽁꽁 묶어버리기도 한다.

　착하게 살아가는 이들의 아픔 속으로 기적은 기어이 다가온다. 그리고 사악한 이들의 마음속으로 단죄의 화살은 날아가 박힌다. 기적이나 단죄의 화살은 우연처럼 보이지만, 우연이 아니다. 그것은 분명 인간의 행복과 불행을 관여하는 하늘의 섭리인 것이다.

풍금 소리

한 해가 저물어 가고 있었다. 하늘에서 내려온 눈송이들은 풍금 소리가 되어 사람들 마음속으로 쌓이고, 세상의 저녁은 평화로웠다. 난로 위에선 가쁜 숨을 토하며 보리차가 끓고 있고, 처마 밑 고드름은 제 팔을 길게 늘어뜨려 바람에 몸을 씻고 있었다.

저녁 무렵 음식점 출입문이 열리더니 한 여자아이가 동생들을 데리고 들어왔다. 초라한 차림의 아이들은 잠시 머뭇거리다가 주방에서 가장 가까운 테이블에 자리를 잡았다. 영철이 주문을 받기 위해 아이들 쪽으로 갔을 때 큰아이가 동생들에게 물었다.

"뭐 시킬까?"

"자장면."

"나두······."

"아저씨, 자장면 두 개 주세요."

영철은 주방에 있는 아내 영선에게 음식을 주문한 후 난로 옆에서 있었다. 그때 아이들의 말소리가 그의 귓가로 들려왔다.

"근데 언니는 왜 안 먹어?"

"응, 점심 먹은 게 체했나 봐. 아무것도 못 먹겠어."

일곱 살쯤으로 보이는 남자아이가 나무젓가락을 입에 물고 말했다.

"누나, 그래도 먹어. 얼마나 맛있는데."

"누나는 지금 배 아파서 못 먹어. 오늘은 네 생일이니까 맛있게 먹어."

큰아이는 그렇게 말하며 남동생의 손을 꼭 잡아주었다.

"언니······ 우리도 엄마 아빠가 있었으면 얼마나 좋을까. 저렇게 같이 저녁도 먹구."

아이의 여동생은 건너편 테이블에서 엄마 아빠랑 저녁을 먹고 있는 제 또래의 아이들을 부러운 눈으로 바라보고 있었다. 바로 그때 영선이 주방에서 급히 나왔다. 그녀는 고개를 갸우뚱거리며 한참 동안 아이들 얼굴을 유심히 바라보았다.

"왜? 아는 애들이야?"

"글쎄요. 그 집 애들이 맞는 거 같은데······."

잠시 생각에 잠겨 있던 영선은 아이들에게 다가갔다.

"너 혹시 인혜 아니니? 인혜 맞지?"

"네, 맞는데요. 누구세요?"

영선의 갑작스런 물음에 아이는 어리둥절해했다.

"엄마 친구야. 나 모르겠니? 영선이 아줌마……."

"……."

개나리같이 노란 얼굴을 서로 바라볼 뿐 아이들은 말이 없었다.

"한 동네에 살았었는데, 네가 어릴 때라서 기억이 잘 안 나는 모양이구나. 그나저나 엄마 아빠 없이 어떻게들 사니?"

그녀는 너무나 반가운 나머지 아이들의 얼굴을 하나하나 어루만지고 있었다.

"인정이도 이제 많이 컸구나. 옛날엔 걸음마도 잘 못 하더니……."

그제야 기억이 났다는 듯 굳어 있던 아이들의 얼굴에 환한 미소가 번졌다.

"조금만 기다리고 있어. 아줌마가 맛있는 거 해다 줄게."

영선은 서둘러 주방으로 들어갔다. 그리고 잠시 후 자장면 세 그릇과 탕수육 한 접시를 내왔다. 아이들이 음식을 먹는 동안 그녀는 내내 흐뭇한 얼굴로 아이들을 바라보고 있었다.

"안녕히 계세요."

"그래. 잘 가라. 차 조심하구……. 자장면 먹고 싶으면 언제든

30 연탄길

지 와, 알았지?"

"네……."

영선은 문 앞에 서서 아이들이 저만큼 걸어갈 때까지 손을 흔들어주었다. 어두운 길을 총총히 걸어가는 아이들의 뒷모습이 처마 끝에 매달려 제 키를 키워 가는 고드름처럼 힘겨워 보였다.

아이들이 가고 난 뒤 영철은 영선에게 물었다.

"누구네 집 애들이지? 나는 아무리 생각해도 기억이 안 나는데……."

"사실은, 나도 모르는 애들이에요. 엄마 아빠가 없는 아이들이라고 해서 무턱대고 음식을 그냥 주면 아이들이 상처받을지도 모르잖아요. 그래서 엄마 친구라고 하면 아이들이 또 올 수도 있고 해서……."

"그랬군. 그런데 아이들 이름은 어떻게 알았어?"

"아이들이 말하는 걸 들었어요. 주방 바로 앞이라 안에까지 다 들리던데요."

"이름까지 알고 있어서 나는 진짜로 아는 줄 알았지."

"오늘이 남동생 생일이었나 봐요. 자기는 먹고 싶어도 참으면서 동생들만 시켜주는 모습이 어찌나 안돼 보이던지……."

영선의 눈에 맺혀 있는 눈물은 금방이라도 흘러내릴 것만 같았다.

가난으로 주눅든 아이들에게 상처를 주지 않으려고 했던 아내를 보며 영철은 많은 생각을 했다. 그 날 저녁의 감동은 기억 저편에서 아스라이 들려오는 풍금 소리처럼 지금도 그의 마음속 깊이 울려 퍼지고 있었다.

　　상처를 주지 않고 사랑하기란 얼마나 어려운 일인가. 소리 없이 아픔을 감싸준다는 것은 얼마나 아름다운 일인가.

고정 관념

6살짜리 어린 아이가 목욕탕에 앉아 대야에 발을 담그며 놀고 있었습니다.
그러다 물이 담긴 대야를 들고 아빠에게 갔습니다.
"아빠, 내가 물 떠왔어. 이걸로 세수해."
"영호야, 발 담근 물로는 세수하는 거 아냐."
"왜?"
"발 담근 물은 더러우니까 그렇지."
"아빠, 그럼 이 물은 더러운 거야?"
"응, 더러운 물이야. 발을 담근 물이니까."
아이는 고개를 끄덕이며 대야에 있던 물을 바닥으로 쏟아버렸습니다. 그런
데 잠시 후, 아이는 아빠를 한참 동안 바라보았습니다. 아빠가 너무 이상했
습니다. 아빠는 여러 사람들이 발을 담그고 있는 탕 속에 앉아서 그 물로
얼굴의 땀을 씻어내고 있었습니다.

인식이 우리의 삶을 설명할 수는 있습니다. 하지만 인식 자체가 반드시 길
이 되는 건 아닙니다. 버스나 배로는 철로 위를 달릴 수 없습니다.
우리 마음속에 철로를 깔아 놓으면 달릴 수 있는 건 오직 기차뿐입니다.

봄꽃

IMF라는 괴물에게 삶을 빼앗긴 사람들은 낙엽처럼 거리를 뒹굴었다. 밤이 되면 서울역 지하도엔 많은 노숙자들이 모여들었다. 두꺼운 종이상자를 바닥에 깔고 잠을 청하는 사람도 있었고, 신문지 몇 장을 이불 삼아 머리까지 덮고 자는 사람도 있었다. 그리고 어떤 이들은 쓰러진 술병 옆에서 잔뜩 웅크린 채 코를 골았고, 담배 연기처럼 헝클어진 머리에 때에 절은 와이셔츠를 입은 사람도 있었다.

그들 중에는 선한 얼굴의 아이 엄마가 있었다. 그녀에겐 여덟 살쯤 돼 보이는 딸아이와 그보다 어린 아들이 있었다. 엄마는 잠든 아이들에게 자신의 외투마저 덮어주고는 조그만 몸을 나뭇잎처럼 떨며 찬 바닥에 누웠다. 어떤 날은 담요 밖으로 눈만 간신히 내민 아이들에게 성경을 읽어주기도 했다.

하루는 어린 딸이 까칠한 얼굴로 엄마 앞에 쪼그려 앉아 있었다. 그들 앞에는 컵라면 두 개가 놓여 있었다.

"엄마, 나 배고프지 않아. 엄마도 먹어……."

아이는 자기 그릇에 있던 라면을 엄마에게 덜어주고 있었다. 엄마의 라면 그릇에선 하얗게 김이 피어올랐다. 그런데 엄마의 그릇 속엔 라면 대신 뜨거운 물만 가득 담겨 있었다. 어린 딸이 마음 아파할까 봐 엄마는 라면을 먹는 척하려고 뜨거운 물만 담아 놓았던 것이다.

엄마는 아이에게 자신의 그릇을 보이지 않기 위해서 등을 돌리고 있었다. 고개 숙인 엄마는 울었고, 어린 딸의 두 눈에도 눈물 방울이 힘겹게 매달려 있었다.

사나운 겨울, 어두운 지하 콘크리트 바닥에서 봄꽃은 그렇게 피어나고 있었다. 머지않아 봄은 올 것이다.

우리들의 얼굴

석규 씨는 중학교 다니는 아들의 생일 선물을 들고 집으로 가고 있었다. 도중에 그는 길을 건너기 위해 집 근처에 있는 육교로 올라갔다. 그때 그의 앞에 술에 취한 어떤 노인이 곡예를 하듯 육교 계단을 올라가고 있었다. 난간을 잡고 간신히 올라가는 노인의 모습이 너무 불안해 보였다. 만일 한 걸음만 잘못 디디면 노인은 큰 변을 당할 게 틀림없었다. 석규 씨는 얼른 노인에게로 다가갔다.

"할아버지, 조심하셔야 돼요. 여기서 넘어지시면 큰일나요."

"……."

고개도 못 가눌 정도로 술에 취한 노인은 그의 말에 아무런 대꾸도 하지 않았다. 석규 씨는 노인을 부축했지만 술에 취한 사람을 부축하기란 여간 힘든 일이 아니었다. 더욱이 그의 한 손엔 아들에게 줄 선물까지 들려 있었다. 간신히 육교의 계단을 올라가기는 했지만 내려가는 일이 더 난감했다.

　노인은 이제 해면처럼 풀어진 몸을 석규 씨에게 전부 의지하고 있었다. 그는 노인의 팔을 자신의 목에 감고 한 걸음 한 걸음 조심스럽게 계단을 내려왔다. 거의 다 내려왔을 무렵 노인의 주머니에 들어 있던 지갑이 계단으로 떨어졌다. 석규 씨는 매우 난감했다. 허리를 숙여 지갑을 주워보려 했지만 노인을 부축한 채로는 불가능했다. 그는 앞서 걸어가고 있는 학생에게 도움을 청했다.

　"학생, 나 좀 도와줘. 학생!"

　차림새가 불량해 보이는 학생은 그의 말을 못 들은 척 뒤도 돌아보지 않고 계단을 내려갔다. 그는 더 큰 목소리로 학생을 불렀다.

　"학생……. 여기 지갑 좀 주워줘. 내가 주울 수가 없어서 그래."

　이번에는 잠깐 얼굴은 돌렸지만 학생은 이내 다시 앞을 보며 관심 없다는 듯 빠른 걸음으로 사라졌다. 날카로운 눈매에 별로 좋지 않은 인상이었던 학생이 그는 욕이라도 해주고 싶을 만큼 괘씸했다. 다행히 뒤에 오던 아주머니의 도움으로 떨어진 지갑을 주울 수 있었고, 노인도 무사히 육교를 건너 왔지만 석규 씨의 마음은 개운치 않았다.

　일요일 오후 아들의 생일을 축하해주기 위해 아들 친구들이 집으로 놀러 왔다.

"안녕하세요?"

"그래, 어서들 와라. 이렇게들 와줘서 고맙구나."

석규 씨와 그의 아내는 친구들을 반갑게 맞아주었다. 그런데 뜻밖의 일이 일어났다. 아들의 친구들 중 한 명이 지난밤 집 앞 육교에서 보았던 바로 그 아이였던 것이다. 그 아이는 석규 씨를 보자 표정이 굳어졌다. 그도 달갑지 않은 시선으로 아이를 잠시 바라보고는 방으로 들어가버렸다.

그 날 밤 석규 씨는 아들의 방으로 갔다.

"영민아, 오늘 집에 온 친구들 다 같은 반이니?"

"같은 반 아이도 있고 학교가 다른 아이도 있어요. 왜요?"

"아니, 우리 영민이가 어떤 친구들하고 지내나 궁금해서……. 사람은 친구를 잘 사귀어야 하거든. 친구 잘못 사귀면 착한 사람도 결국은 잘못된 길로 빠지고 말아."

"아빠, 제 친구들 모두 착해요. 공부도 잘하구요."

"그래? 근데 말야 제일 나중에 온 친구는 어때?"

그는 육교에서 아무 말 없이 가버렸던 아이에 대해서 넌지시 물었다.

"재석이요? 걔가 공부 제일 잘해요."

"세상을 사는 데 공부 잘하는 건 그다지 중요하지 않아. 사람 됨됨이가 착해야지."

"아빠…… 재석이 정말 착해요."

"사람은 겉만 보고는 모르는 거야."

석규 씨는 당장이라도 지난밤의 일을 아들에게 알려주어 그런 친구는 가까이 하지 말라고 말해주고 싶었다. 하지만 친구 문제 때문에 아이가 상처받을까 봐 차마 입이 떨어지지 않았다.

"재석이라는 애, 지금 너하고 같은 반이니?"

"아니오, 다른 학교 다녀요. 그런데 아빠, 재석이 너무 불쌍해요. 요 아래 육교 건너편에 사는데 집안 형편이 어려워서 새벽마다 신문을 돌리거든요. 게다가 어릴 때 사고로 청각을 잃어서 들을 수가 없대요. 사람들이 말하는 입 모양을 보고 겨우 알아듣거든요."

석규 씨는 그제야 자신이 도움을 청했을 때 아이가 그냥 가버린 이유를 알게 되었다. 그러자 낮에 달갑지 않은 시선으로 아이에게 상처를 준 일이 너무나 부끄러워졌다.

진실은 마음으로만 볼 수 있다. 그런데 지금껏 우리는 눈에 보이는 것으로만 옳고 그름을 말해왔다. 두 눈 부릅뜨고 세상을 살아가지만 우리가 눈으로 볼 수 있는 것은 얼마나 작은 것인가.

여학생들은 눈을 지그시 감고 잠들어 있었습니다.

그리고 친구는 빨리 일어나지 못한 것을 후회하면서, 끝내 머리를 숙여버렸습니다.

가까운 곳에서 어느 할아버지의 목소리가 들려왔습니다.

"요즘 젊은 사람들은 할아버지, 할머니도 없나…… 세상 참 험악해졌어……"

근처에 있던 다른 사람들도 다들 한마디씩 거들었습니다.

그 순간 친구는 용기를 냈습니다. 그리고 자리에서 벌떡 일어났습니다.

"할머니 죄송합니다. 제가 잘못했습니다."

친구는 정중히 사과드리고 할머니에게 자리를 내드렸습니다.

하지만 나는 친구를 이해할 수 있었습니다.

친구의 바지 속에 가려진 슬픔을 아무도 보지 못했을 테니까요.

대나무처럼 가느다란 다리를 지탱해주는 철제 보조기를 아무도 못 봤을 테니까요.

아기 눈사람

미란은 여러 해 동안 '천사원'을 방문했다. 천사원에는 사랑의 손길을 기다리는 많은 장애인들이 있었다. 그들의 대부분은 고아였고, 육신의 장애 때문에 부모로부터 버림받은 아이들도 있었다. 천사원에는 아이들을 돕는 사람이 여럿 있었다. 그중 소피아라는 세례명을 가진 선생님의 헌신적인 모습은 많은 사람들에게 감동을 주었다. 아이들은 그녀를 소피아 선생님이라고 불렀다. 미란은 그녀를 보면서 하나님이 보낸 천사라고 생각했다. 그녀는 오래 전부터 그곳에서 생활하며 아이들의 엄마가 되어주었다.

밥도 먹여주고, 목욕도 시켜주고, 거동조차 할 수 없는 아이들의 대소변까지 받아내면서도 소피아 선생님은 늘 웃음을 잃지 않았다. 알아들을 수 없는 아이들의 말조차 마음으로 읽어내며 그들의 속 깊은 상처까지 어루만져주었다.

한 해가 끝나갈 즈음 적지 않은 사람들이 천사원을 방문했지만, 얼마 견디지 못하고 모두들 돌아갔다.

어느 해 겨울 미란은 아침 일찍 천사원으로 갔다. 이른 아침부터 하늘이 보이지 않을 만큼 함박눈이 내리고 있었다. 들판이 내려다보이는 천사원 앞마당에는 아이들의 웃음소리가 가득했다. 아이들은 쏟아지는 눈을 맞으며 눈사람을 만들고 있었다. 걸을 수 있는 아이들은 커다란 눈덩이를 굴렸고, 휠체어에 앉은 아이들은 하얗게 눈을 맞으며 눈사람이 되어가고 있었다.

소피아 선생님은 아이들과 조금 떨어진 곳에서 혼자 눈덩이를 굴리고 있었다. 이마에 방울방울 땀까지 흘리고 있는 그녀의 모습은 무척 진지해 보였다.

아이들은 눈사람의 몸통을 만들고 그 위에 머리를 올려 놓았다. 그리고 눈, 코, 입을 만들고 나서 나뭇가지로 눈사람의 팔까지 달아주었다. 미란도 자신의 목도리를 눈사람 목에 감아주었다.

그러다 우연히 소피아 선생님 쪽을 바라보았다. 미란은 그녀가 만든 눈사람을 보는 순간 감격하지 않을 수 없었다.

소피아 선생님은 환한 얼굴로 눈사람의 얼굴을 마무리하고는 천사원 안으로 급히 뛰어 들어갔다. 그리고 잠시 후, 어린 경호를 가슴에 안고 앞마당으로 나왔다. 경호는 태어나서 단 한 번도 걸어본 적이 없는 가엾은 아이였다. 그래서 경호는 늘 방안에서만 누워지냈다.

"경호야, 이게 뭔지 알지?"

"눈사람이요."

"그냥 눈사람이 아니라, 아기 눈사람이야. 예쁘지?"

"네. 예뻐요."

경호는 우스꽝스럽게 생긴 눈사람의 얼굴을 한참 동안 내려다 보았다. 다른 날과는 달리 경호 얼굴에도 웃음이 가득했다.

아기 눈사람은 다른 사람들이 만든 눈사람과는 다른 모습을 하고 있었다. 나뭇가지로 만든 두 다리를 쭉 펴고, 마치 아기 경호처럼 땅 위에 길게 누워 있었다.

함박눈 내리는 천사원 앞마당에서 소피아 선생님은 미란에게 말했다.

"눈을 감고 귀를 기울이면 눈 오는 소리가 들려요."

소피아 선생님은 눈을 감은 채 하늘을 향해 얼굴을 들었다. 그녀의 얼굴은 너무나 평화로워 보였다.

"그런데 참 이상해요. 이렇게 눈을 감아야만 보이는 것들이 있거든요."

미란도 그녀 옆에서 살며시 눈을 감았다. 꽃잎 같은 눈송이가 얼굴에 와 닿으며 하얀 눈의 숨소리가 들리는 것 같았다. 미란은 그날 눈을 감고 서 있는 소피아 선생님을 바라보며 느낄 수 있었다.

사랑은 주는 사람의 마음속에 더 오래 남는다는 걸……

천사원 앞마당에 해바라기 두 송이가 피어났습니다.
참 좋은 날입니다.
맑은 웃음만으로도, 우리는 사랑할 수 있습니다.

갈매기의 사랑

휴양지를 만들기 위해 사람들은 바닷가 모래를 마구 퍼냈습니다.

모래를 담은 트럭들이 줄을 지어 백사장을 빠져나갈 때 갈매기
들은 너무나 슬펐습니다.

사람들의 이기심으로 갈매기들은 하루아침에 둥지를 잃고 말았
습니다.

갈매기들은 마구 파헤쳐진 모래 위에 알을 낳아야 했습니다.

하지만 잠시도 마음을 놓을 수 없었습니다.

모래를 퍼내는 포크레인 소리가 그들을 늘 불안하게 했습니다.

그리고 어떤 날은, 돈 많은 부자가 여러 명의 사람을 데리고 그
곳을 다녀갔습니다.

그가 다녀간 날이면 해변엔 더 많은 구덩이가 생겨났습니다.

그러던 어느 날이었습니다.
장마비가 며칠째 계속 퍼부어댔습니다.
갈매기들은 사람들이 파간 모래 때문에 지면이 낮아졌다는 사실을 미처 알지 못했습니다.
해변에 있던 수많은 갈매기 알들이 그만 물에 잠겨버리고 말았습니다.
해변의 한쪽에는 갓 부화한 여섯 마리의 갈매기 새끼들이 있었습니다. 그들은 두려움에 잔뜩 몸을 움츠리고 어미 새의 품속으로만 파고들었습니다. 굵은 빗줄기를 온몸으로 맞으며 어미 새는 어찌할 바를 몰랐습니다.
그 사이 물은 자꾸만 불어 새끼들의 가슴까지 차 올랐습니다.
바로 그때, 어미 새는 멀리 나무 널빤지가 떠내려가는 것을 보았습니다. 다급해진 어미 새는 새끼들을 두고 널빤지가 있는 쪽으로 날아갔습니다.
어미 새는 헤엄을 치며 새끼들이 있는 쪽으로 널빤지를 밀기 시작했습니다.
하지만 널빤지의 흐름을 바꾸는 일은 쉽지 않았습니다.
마침내 새끼들이 있는 곳까지 널빤지를 몰고 왔을 때, 어미 새의 찢어진 부리에선 피가 흐르고 있었습니다.

물이 차오르기 전에, 어미 새는 여섯 마리의 새끼들을 한 마리씩 널빤지 위에 올려주었습니다.

어린 새끼들은 젖은 솜털 사이로 빨간 살을 드러낸 채 떨고 있었습니다.

어미 새는 새끼들을 안전한 곳으로 데리고 가야 했습니다.

그래서 새끼들이 앉아 있는 널빤지를 온몸으로 밀기 시작했습니다.

그런데 그들이 안전한 물가로 거의 다 왔을 때, 어미 새는 자지러질 듯한 울음소리를 내며 큰 날개를 퍼덕거렸습니다.

하지만 어미 새는 기력이 다 빠져 뻘 깊숙이 빠져버린 자신의 다리를 빼낼 힘이 없었습니다. 그사이 새끼들을 태운 널빤지는 파도를 따라 어미 새에게서 멀어지고 말았습니다.

떠내려가는 새끼들을 바라보며 어미 새는 필사적인 몸짓을 했습니다.

그리고 새끼 한 마리가 널빤지에서 떨어지는 것을 보는 순간, 어미 새는 두 발을 잡고 있던 검은 뻘을 박차고 날아 오를 수 있었습니다. 하지만 그때는 이미 새끼들 모두가 물 속으로 잠겨버린 후였습니다.

어미 새는 널빤지 위에 앉아 망언히 물 속만 들여다보았습니다.

한참을 그렇게 앉아 있던 어미 새는 수평선 너머로 날아가버렸습니다.

흉하게 파헤쳐진 모래 구덩이를 몇 번이고 몇 번이고 되돌아보
면서…….

그 후 며칠이 지났습니다.

사납게 내리던 비가 그치자, 해변은 맑고 투명한 햇살로 가득
찼습니다.

갈매기가 모두 떠나간 모래성에는 갈매기 대신 한 떼의 사람들
이 있었습니다.

그런데 슬픈 얼굴을 하고 있는 사람들의 발 아래에는 머리까지
하얀 천을 덮은 채 한 소년이 누워 있었습니다.

그 소년은 해변에서 공놀이를 하다가 그만 모래를 파낸 구덩이
속에 빠져버리고 말았습니다.

소년의 주검 앞에서 소년의 아버지가 엎드려 울고 있었습니다.

그는 바닷가에 휴양지를 세우려고 했던, 바로 그 돈 많은 부자
였습니다.

사랑은 사람을 포기하지 않는다

현수는 오전 내내 식은 밥덩이처럼 방에만 누워 있었다. 오후가 돼서야 그는 겨우 붕대를 감은 손으로 그 동안 일하던 공사 현장을 찾았다.

"설마 그 손을 해 가지고 일하러 온 거는 아닐 테지?"

현장 소장은 쏘아붙이듯 현수에게 말했다.

"병원에 갔더니 한 보름이면 나을 거래요. 그때는 다시 일할 수 있겠지요?"

"가 봐야 알지. 우리는 당장 일할 수 있는 사람이 필요하니까. 그때 다시 와 봐."

현수는 공사장을 나와 무작정 길을 걸었다. 그가 걷는 길 양쪽으로는 고층 아파트들이 즐비하게 있었다. 자신 같은 사람은 평생

엄두도 못 낼 도시 속의 궁전을 짓다가 다쳐버린 손을 보니 현수는 더욱 화가 치밀었다. 그는 당장에 돈이 필요했다. 방세도 내야 했고, 시골에 중풍으로 누워 있는 아버지에게 약 값도 보내야 했다. 고생한 만큼 앞으로는 창창대로의 길을 갖게 될 거라고 수도 없이 다짐했지만 그리운 것들은 너무 멀리 있었다. 현수는 심란한 마음을 주체할 수 없어 편의점에 들어가 소주 한 병을 샀다. 그리고 근처 아파트 단지 안으로 들어갔다.

술기운이 오르면서 다친 손이 더 욱신거렸다. 그가 무심코 바라본 놀이터에는 여자아이가 혼자서 모래장난을 하고 있었다. 그러다 싫증이 났는지 아이는 구름다리 위로 한 쪽 다리를 올려 놓고는 아주 서툰 동작으로 다른 한 발마저 올려 놓았다. 하루 전 사고를 당했던 그는 아이가 다칠지도 모른다는 생각이 들어 아이 쪽을 향해 빠른 걸음으로 갔다. 아이에게 거의 다가갈 즈음 아이는 겁먹은 얼굴로 땅을 보며 다시 발을 내려놓고 있었다.

"조심해야지. 그러다 다치면 어쩌려구."

아이는 말 없이 현수를 보며 웃었다. 현수는 자신이 있었던 곳으로 다시 돌아와 앉았다. 그가 남은 술을 다 마실 때까지도 아이는 여전히 혼자 놀고 있었다. 그는 몇 번이고 한숨을 몰아쉬다가 우연히 아파트 주차장 쪽을 바라보았다. 사람들이 모두 출근한 오후인데도 고급 승용차들이 즐비했다.

현수는 화가 났다. 그들과 자신의 처지를 비교하니 참을 수가 없었다. 그는 홧김에 다 마신 소주병을 쓰레기통 쪽으로 던져버렸다. 쓰레기통 바로 앞에 떨어진 빈 병은 날카로운 비명을 지르며 산산조각 났다. 아이는 놀란 눈으로 현수를 바라보고 있었다.

그가 잠시 아이에게서 시선을 돌렸을 때 햇살이 병 조각 위로 부서지며 그의 눈을 파고들었다. 그는 현기증에 눈을 감았다. 자신조차 이해할 수 없는 무시무시한 일을 생각했던 건 바로 그때였다. 그 순간부터 이미 그는 그가 아니었다. 현수는 큰 걸음걸이로 아이에게 다가갔다.

"엄마는 어딨니?"

"집에 있어요."

"아빠는?"

"아침에 회사 갔어요."

"너, 지금 아빠 보고 싶니?"

"네."

"그럼 수진아, 우리 아빠한테 갈까? 아저씬 아빠 친구란다. 우리 아빠한테 가서 인형 사달라고 할까?"

"아저씨가 아빠 친구예요?"

아이는 붕대를 감은 그의 손을 바라보며 의심쩍은 듯 물었다.

"응, 아저씬 아빠 친구야. 그러니까 내 이름이 수진이라는 것도 알고 있지."

"그러면 이 공 집에다 갖다 놓고 올게요."

아이는 주먹만한 공을 손에 들고 있었다.

"아냐, 그냥 가져가도 돼."

이름을 불러주자 아이는 조금도 그를 의심하지 않는 눈치였다. 아이가 갖고 있던 공 위에 씌어진 이름을 보았다는 것을 어린아이가 알 리 없었다. 현수는 아이의 손을 잡고 아파트를 걸어 나왔다. 아이는 그사이 몇 번 고개를 돌려 아파트 쪽을 바라보았지만, 울거나 보채지 않고 얌전하게 현수를 따라왔다.

현수는 자신이 살고 있는 금호동 산동네로 아이를 데려갔다. 방에 도착한 후로 그는 아이가 아빠를 찾을까 봐 마음을 조였지만, 이상하게도 아이는 아빠를 찾지 않았다. 그는 아이에게 집 전화번호까지 알아냈다. 하지만 언제 전화를 해야 하고, 얼마를 요구해야 하며, 또 어떤 방법으로 돈을 받아 낼 것인가에 대해서는 막막하기만 했다.

방으로 데려온 지 한 시간쯤 지나면서 아이는 불안한 빛을 보이더니 울기 시작했다. 현수는 초조했다.

"수진아 울지 마. 아저씨가 나가서 아빠한테 전화도 하고 빵도 사 올게. 아저씨 올 때까지 여기서 나가면 안 돼. 밖에 나가면 아저씨한테 혼나. 알았지?"

그는 아이를 방에 두고 집에서 멀지 않은 가게로 갔다. 그리고 빵과 우유를 샀다. 가게를 나오면서 공중전화 앞에서 한참을 망설였지만 더 어두워지면 전화하리라 마음먹고 그 아래 문방구로 갔다. 만일의 경우 아이가 울음을 그치지 않거나 떼를 쓸 때를 대비해 끈과 비닐 테이프를 샀다. 왠지 그런 것들이 필요할 거란 생각이 들었다.

현수가 방에 도착했을 때 아이는 눈에 가득 눈물을 담고 그를 바라보았다. 안쓰러운 맘이 들었다. 그는 아이에게 빵과 우유를 주며 말했다.

"수진아, 아빠한테 전화하고 왔거든. 그런데 아빠가 내일 엄마하고 같이 널 데리러 온다고 오늘은 여기서 아저씨하고 같이 자래."

"싫어요. 나 엄마한테 갈 거예요. 빨리 집에 데려다 줘요."

아이는 그가 준 빵을 방바닥에 내던지며 다시 울음을 터트렸다.

"알았다. 알았어. 이따가 집에 데려다 줄게."

현수는 우는 아이를 달래려고 거짓말을 했다. 아이는 그제야 마음이 놓였는지 그가 집어 준 빵을 다시 받았다.

"아저씨도 먹어요."

아이는 빵 한쪽을 손으로 떼어 그에게 주었다.

"아냐. 아저씬 배고프지 않아."

그 순간 그는 냉정해져야 한다고 다짐하며 손의 붕대를 단단히 고쳐 맸다.

"아저씨, 손 왜 다쳤어요?"

현수는 아이의 물음에 아무런 대꾸도 하지 않았다. 잠시 후 화장실에 가려고 방문을 나서는데 아이가 물었다.

"빵 먹고 집에 데려다 줄 거지요?"

"그럼."

현수는 아이를 안심시킨 후 끈과 비닐 테이프가 들어 있는 손가방을 보았다.

그런데 그가 화장실에 다녀왔을 때 아이는 방에 없었다. 현수는 다급한 마음에 문 밖으로 뛰쳐나갔다. 서너 칸씩 계단을 건너뛰며 아래쪽으로 뛰어 내려갔다. 집에서 멀지 않은 골목에 서서 이곳 저곳을 두리번거리다 약국 앞에 서 있는 아이를 발견했다. 현수는 순간 화가 치밀었다. 그는 사납게 아이를 들쳐업고 집으로 들어왔다. 아이는 잔뜩 겁에 질려 기어이 눈물을 쏟았다.

"엄마한테 데려다 준다고 했잖아. 왜 혼자 밖에 나갔어? 아저씨가 나가지 말랬지?"

죽일 듯이 쏘아붙이는 현수 앞에서 아이는 그저 울기만 했다.

"너 밖에 나가서 엄마한테 전화했지? 어서 바른대로 말해."

아이는 고개를 가로 저으며 아니라고 했다. 아이는 많이 놀랐는지 울음을 그치지 않았다. 현수는 끈과 비닐 테이프를 꺼냈다. 독하게 마음먹어야 한다고 다짐하며 아이를 노려보았다. 그때 아이가 주머니에서 뭔가를 꺼냈다.

"아저씨 손 다쳤잖아요."

아이는 대일밴드 한 통을 현수 앞으로 내밀었다. 아이는 약국에 가려고 방을 나갔던 거였다. 순간 그의 눈에 눈물이 맺혔다. 아이가 준 대일밴드를 바라보며 낮에 현장 사무소에 갔을 때 소장으로부터 들었던 말이 생각났다.

'설마 그 손을 해 가지고 일하러 나온 건 아니지?'

현수는 꺼냈던 끈과 비닐 테이프를 등뒤로 감췄다. 그제야 그는 제정신으로 돌아왔다.

'아, 내가 여태껏 무슨 생각을 했단 말인가.'

"수진아, 우리 빨리 엄마한테 가자."

현수는 아이를 데리고 서둘러 방을 나왔다. 어두운 하늘에선 비가 내리고 있었다.

아이가 살고 있는 아파트 단지 앞에 도착한 것은 밤 11시 무렵이었다. 그는 아이의 집이 보이는 공중전화 앞으로 갔다. 우산을 받쳐들고 잠시 망설이던 그는 끝까지 아이를 속여서는 안 된다는 생각이 들었다.

"수진아, 저 있잖아. 아저씨는 아빠 친구가 아냐. 너한테 거짓말한 거야. 미안해."

그러나 아이는 그의 말에 조금도 놀라지 않고 빙긋이 웃었다.

"아빠 친구 아니라는 거 나도 알아요. 우리 아빠 지금 하늘나라에 있거든요. 그런 것도 모르는 친구가 어디 있어요?"

아이의 말을 들은 현수는 놀라지 않을 수 없었다.

"근데, 낮에는 왜 아빠가 회사 갔다고 한 거야?"

"누가 물어보면 그렇게 말하라고 엄마가 그랬어요."

아이는 그렇게 말하며 멋쩍은 표정을 지었다.

"아저씨가 아빠 친구가 아닌 줄 알면서 왜 아저씰 따라왔어?"

"아저씨가 불쌍해서……."

"아저씨가 왜 불쌍한데?"

"아저씬 손이 많이 아프잖아요. 아빠도 병원에서 얼굴에 붕대를 감고 있었거든요. 엄마는 아빠가 불쌍하다고 맨날 울었어요."

현수는 갑자기 목이 메어왔다. 푹 숙인 고개를 들지도 못한 채 그는 아이에게 말했다.

"수진이 혼자서 엄마한테 전화 걸 수 있지?"

"네."

"엄마한테 여기 고려당 앞이라고만 말해. 알았지?"

"네."

"수진아, 정말 미안해. 그리고 다시는 아저씨 생각하지 마. 아저씨는 말야……."

"울지 마세요, 아저씨……."

아이가 전화 박스로 들어가 수화기를 들 때, 그는 길 건너편을 향해 뛰었다. 그리고 길을 건너자마자 아이가 있는 곳을 바라보았다. 아이는 전화기를 든 채 그를 향해 손을 흔들고 있었다. 현수는 그곳에서 조금 떨어진 건물 안으로 들어갔다. 그리고 건물 유리창을 통해 아이가 있는 곳을 바라보았다. 자신이 건네주고 온 자주색 우산을 받쳐들고 엄마를 기다리는 아이의 모습이 조그맣게 보였다.

잠시 후 아이의 엄마가 그곳에 도착했다. 그녀는 비 오는 거리에서 아이를 한참 동안 끌어안았다. 땅바닥에는 우산 두 개가 동그랗게 얼굴을 비비며 비를 맞고 있었다.

그들은 다정하게 손을 잡고 집 쪽으로 걸어갔다. 공중전화 앞에는 현수의 자주색 우산만이 외로이 비를 맞고 있었다. 그런데 잠시 후 집으로 걸어가던 아이가 머리에 손을 얹고 공중전화가 있는 곳으로 쪼르르 달려왔다.

아이는 땅에 떨어진 자주색 우산을 들고 그가 있는 길 건너편을 잠시 동안 두리번거리더니 이내 엄마 곁으로 뛰어갔다.

현수는 어린 수진과의 일을 통해 사람의 마음속엔 자신도 알지 못하는 사랑이 있다는 것을 알았다. 사랑은 의식 깊은 곳에서 숨을 쉬다가 우리가 잘못된 길을 걸어 갈 때면 기어코 우리들의 곁으로 다가온다는 것도……

거칠게 숨을 몰아쉬며 사랑은 끝끝내 우리의 길을 인도한다. 희망을 포기하지 않는 한 화석처럼 굳어진 우리의 사랑까지도……. 사랑은 사람을 포기하지 않는다.

수업시간

우산이 어디에 사용되는지 아이들에게 물었습니다.
첫 번째 아이는
비를 가릴 수 있다고 말했습니다.
두 번째 아이는
지팡이로 쓸 수 있다고 말했습니다.
세 번째 아이는
무기로도 사용할 수 있다고 말했습니다.

빙긋이 웃으며 손가락만한 종이 우산을 폈습니다.
그리고 다시 물었습니다.
이 우산으로는 무엇을 할 수 있을까?
첫 번째 아이는
아무 말이 없었습니다.
두 번째 아이도
아무 말이 없었습니다.
세 번째 아이도
아무 말 없었습니다.
존재하는 것들은
결코 하나의 의미로만 존재하지 않습니다.

평화로운 밤

평화로운 밤

아기에게 그림책을 읽어주는 아내의 목소리가 방안에서 들려온다. 지섭은 기도를 멈추고 아내가 읽어주는 이야기에 귀를 기울인다.

　숲 속에 매미 한 마리가 살았어요. 매미는 키가 큰 느티나무에 앉아 뜨거운 여름을 노래했지요.

"맴맴맴맴, 매-앰……."

그때 귀여운 꼬마가 나무 아래에서 매미를 바라보고 있었어요.

"매미야, 나하고 얘기 좀 할래?"

"넌 누구니, 꼬마야?"

매미는 잎사귀 뒤로 몸을 감추며 말했어요.

"나는 저 아랫마을에 사는 아이야."

"그런데, 꼬마야. 너는 내가 보이니? 아이들이 잡아 갈까 봐 이렇게 숨어 있는데."

"나는 노랫소리만 들어도 너희들이 있는 곳을 알 수가 있어. 그런데 매미야, 너희들은 왜 그렇게 노래를 부르는 거지? 조용히만 있으면 아이들도 너희들이 있는 곳을 모르잖아."

"그건 말야, 우리가 해야 할 일이니까. 아무리 위험해도 여름을 노래하지 않으면 매미가 될 수 없거든."

윙윙거리던 냉장고의 숨소리가 멈추고 잠시 고요가 흐른다. 아내의 이야기 소리도 더 이상 들리지 않는다. 지섭이 자리에서 일어나 방안으로 들어갔을 때 그녀는 아기 옆에서 곤히 잠이 들어 있었다. 그녀의 손바닥 위로 나비처럼 내려앉은 그림책……

지섭은 그림책을 들어 가슴에 안았다. 그녀가 읽어준 그림책 속엔 매미가 나오고 귀여운 아이가 나오고 느티나무가 나온다. 그런데 매미 그림도 귀여운 아이 그림도 느티나무 그림도 책 속엔 있지 않다. 앞을 못 보는 그녀는 손끝으로 점자를 더듬어 매일 밤 아기에게 그림책을 읽어준다. 아, 눈송이처럼 수북히 내려앉은 많은 점자들…….

아기는 알까?

그 많은 점자들이 엄마의 손끝에서 매미가 되고 귀여운 아이가 되고 느티나무가 된다는 것을……

감아도 감기지 않은 아내의 두 눈을 바라보며 지섭은 방을 나왔다. 볼 수 없는 그의 눈에서도 총총한 샛별이 떨어진다.

감사합니다. 오늘 하루도 우리에게 평화로운 밤을 주셔서…….

하늘에 심은 꽃

선영 씨는 토요일 오전 근무를 마치고 집으로 돌아왔다. 그리고 딸 소라를 데리고 마로니에 공원으로 갔다. 겨울의 한낮, 투명한 햇살이 쏟아지는 공원의 하늘 위로 한 떼의 비둘기가 날아 오르고 있었다.

연인들이며 수업을 마치고 나온 학생들의 웃음소리가 봄철 미나리처럼 싱그러웠다. 선영 씨는 공원의 풍경을 바라보며 한쪽 벤치에 앉아 있었다. 그때 낡은 목도리로 얼굴을 감싼 한 할머니가 그들에게 다가왔다.

"애기 엄마, 이것 좀 사줘요."

할머니는 하얗게 튼 손에 쥐고 있던 껌과 초콜릿을 내밀었다.

"할머니, 초콜릿 주세요. 껌도 주시구요."

"아이고 이렇게 고마울 데가."

할머니는 미안하고 감사하다는 표정을 지으며 몇 번이고 그들에게 인사를 했다. 깊게 패인 할머니의 주름살엔 그간 그녀가 살아온 험난한 세월이 고스란히 담겨 있었다. 걸어가는 할머니의 뒷모습을 바라보며 선영 씨는 왠지 서글픈 마음이 들었다.

"엄마, 저 할머니 불쌍하다. 그치?"

"소라야, 꼭 그렇게 생각하진 마. 할머니는 너처럼 예쁜 손녀한테 맛있는 거 사 주려고 껌을 파시는 건지도 모르잖아. 아마 할머니도 행복하실 거야. 소라야, 있잖아. 세상엔 우리가 눈으로 볼 수 없고 마음으로도 느낄 수 없는 것들이 더 많단다."

"엄마, 근데 저 언니랑 오빠들은 왜 할머니한테 껌을 사지 않아? 음료수도 사 먹고 아이스크림도 먹으면서 말야."

"글쎄⋯⋯."

멀지 않은 곳에는 여러 명의 대학생들이 앉아 있었다. 음료수 캔을 하나씩 들고 있는 학생들은 할머니와는 눈도 마주치려 하지 않았다.

한참 후 모녀는 공원을 나와 근처 음식점에서 저녁을 먹었다. 그들이 밖으로 나왔을 때, 거리엔 어느새 어둠이 둥지를 틀었고 매서운 겨울 바람이 장례 행렬처럼 웅성거리며 거리를 쓸고 지나갔다. 선영 씨가 추위로 빨개진 딸의 얼굴을 두 손으로 감싸고 지하도 계

아이를 업은 여인이 지하도 계단에 엎드려 한겨울 추위와 싸우고 있었습니다.

사람들은 말없이 이들 앞을 지나쳐버렸습니다.

그리고 인간의 존엄성을 외면해버린 죄인이 됐습니다.

단을 오를 때였다.

계단 중간쯤에서 바구니를 앞에 놓고 한 여자가 엎드려 있었다. 그녀의 등뒤엔 가엾게도 어린 아기가 잠들어 있었다. 잠든 아기의 얼굴은 추위에 새파랗게 얼어 있었다.

"소라야, 이럴 줄 알았으면 저녁은 집에 가서 먹을걸."

차비를 빼고 그녀에게 남은 건 백 원짜리 몇 개뿐이었다. 바구니 속에 동전 몇 개를 넣으면서도 그녀는 아기의 얼굴 보기가 부끄러웠다.

승차권을 사기 위해 지하철 매표소로 걸음을 옮기던 그녀는 다시 발걸음을 돌렸다. 그리고 아기 엄마에게로 다가가 입고 있던 외투를 벗어 새파랗게 얼어버린 아기 얼굴을 감싸주었다.

"옷이 없어서, 엄마 춥겠다. 그치?"

"아냐, 엄마 안 추워. 집에 다 왔잖아. 근데 소라야, 엄마가 사준 새우깡 어뎄어?"

"응, 아까 엄마가 아가한테 옷 덮어줄 때 아가 옆에 놓고 왔어. 아가 먹으라구……"

그녀는 걸음을 멈추고 소라를 꼭 안아주었다. 먼 하늘의 푸른 별빛이 그들 위로 쏟아져 내리고 있었다.

어린 딸의 손을 잡고 밤길을 걸으면서 그녀는 돌아가신 엄마를 생각했다. 그녀가 철들 무렵, 그녀의 엄마는 그녀 곁을 떠났다. 변변

한 사랑 한 번 엄마에게 드리지 못했기 때문에 선영 씨의 추억 속에
엄마라는 단어는 명치끝에 고스란히 아픔으로 남아 있다. 아, 단 한
번만이라도 엄마에게 따뜻한 저녁 한 끼라도 대접할 수만 있다
면……

　시간이 많이 남지 않았다. 우리가 서로 사랑할 시간
이…….

별이 뜰 때까지 우리는

산동네에 소복이 밤이 내리면, 유난히 개 짖는 소리가 크게 들렸다. 자정이 지나 애국가 소리가 희미하게 들리고, 창가에 하나둘씩 불이 꺼지면, 배추 속처럼 뽀얀 얼굴로 지붕을 쓰다듬으며 내려온 달빛은 앞마당 수돗가에서 얼굴을 씻는다.

수연이네 가족이 산동네에 세 들어 산 지도 2년이 넘었다. 수연이 아빠 최씨는 이일 저일 닥치는 대로 해가며 강아지풀처럼 억세게 살아왔고, 이즈막엔 늘 공사판으로만 떠돌아다녔다. 수연이 엄마는 막내 영재가 세 살 되던 해부터 집에서 멀지 않은 봉제공장으로 일을 다녔다.

아침에 얼굴을 감춘 분꽃이 치마폭을 활짝 펼치면 엄마가 돌아왔다. 엄마를 기다리며 수연이의 눈은 하루하루 분꽃의 새까만 씨앗을 닮아갔다. 야간 작업이 있는 날이면 종종 엄마는 늦게 들어왔다. 귀뚜라미 소리 들리는 늦은 밤까지 엄마가 오지 않는 날이면 수연이는 잠든 동생들 옆에 쪼그리고 앉아 창문 밖에서 들려올 엄마의 발소리에 귀를 기울였다.

동생들은 하루 한 차례씩 엄마가 보고 싶다며 떼를 썼다. 그러면 수연이는 동생들 손을 잡고 한참을 걸어 엄마가 일하는 공장으로 갔다. 그러나 야단맞을까 봐 차마 엄마를 부르지 못하고 봉제공장의 분진이 빠져 나오는 환풍기 앞에 쪼그려 앉았다. 그리고는 그곳으로 까칠한 얼굴을 디밀고 일하는 엄마의 모습을 지켜보았다.

그러던 어느 날, 엄마가 공장에서 일하다 쓰러졌다. 엄마는 꽃송이 같은 세 점 분신을 남겨두고 세상에서 가장 긴 여행을 떠나고 말았다.

6살이 된 막내 영재가 엄마 사진 위에 붙여 놓은 밥풀을 볼 때마다 수연이는 눈물이 났다. 시간이 지나갈수록 엄마에 대한 그리움은 봉숭아 꽃물처럼 수연의 마음속에 붉게 물들어 있었다.

엄마가 떠나버린 해 겨울, 수연이에겐 또다시 커다란 불행이 닥쳐왔다. 아빠가 작업 중 추락 사고로 대퇴골과 슬개골이 골절되었고, 신경까지 손상을 입어 왼쪽 다리를 거의 쓸 수 없게 된 것이다. 몇 달간 병원에 있다가 추운 겨울이 돼서야 최씨는 목발을 하고 병원을 나왔다. 그리고 하루하루 먹고살기 위해 껌과 초콜릿을 들고 공원과 음식점을 돌아다녔다.

수연이는 동생들을 데리고 차가 많이 다니는 큰길까지 나왔다. 거리에는 온통 크리스마스 캐롤이 울려 퍼졌고, 사람들은 하얗게 입김을 내뿜으며 걷고 있었다. 거리 한쪽에는 구세군 아저씨가 '딸랑딸랑' 종소리를 내며 큰 소리로 외치고 있었다.

"…… 불우한 이웃을 도웁시다. 불우한 우리 이웃들에게 따뜻한 온정을 베풉시다!"

"영욱아, 영재야. 우리 이제 집으로 가자. 누나가 집에 가서 라면 끓여 줄게."

"알았어, 누나."

수연이는 두 손으로 영재의 귀를 감싸고 길을 걸었다. 그때 멀리 있는 최씨의 모습이 보였다. 설마 하는 마음으로 다시 보았지만 분명히 아빠였다. 수연이는 서둘러 발길을 돌렸다.

"누나, 저기 아빠 있다."

"아냐 , 영욱아. 아빠 아냐. 아빠가 왜 저기 있니?"

"아빠 맞아, 누나, 아빠야."

최씨가 있는 쪽으로 걸어가는 영욱이를 수연은 붙잡았다.

"가지 마, 영욱아. 아빠가 우리를 보면 슬퍼할지도 몰라."

그렁그렁 맺힌 눈물 때문에 수연의 눈에는 최씨의 모습이 희미하게 보였다. 최씨는 지친 모습으로 목발에 몸을 기댄 채 건물의 유

리문 앞에 서 있었다. 그는 그 앞에 서서 우유나 물도 없이 허겁지겁 봉지에 든 빵을 먹고 있었다.

어린 동생들과 길을 걸으며 수연이는 눈물을 닦았다. 힘겹게 고개를 오르는 아이들의 얼굴 위로 함박눈이 풀풀 날리고 있었다.

집으로 돌아오는 길에 수연이는 동생들을 데리고 눈 쌓인 작은 성당의 앞마당으로 들어갔다. 예배당으로 들어가는 출입구 계단 위에는 커다란 종이 상자가 있었다. 상자 안은 헌 옷들로 가득 차 있었다. 상자 안을 들여다보며 수연이는 아빠의 낡은 점퍼를 생각했다. 수연이는 점퍼 하나를 손에 들고 주위를 둘러보며 조심스럽게 계단을 내려왔다. 그때 성당의 한쪽 문이 열리더니 중년의 수녀가 그들에게로 다가왔다.

"애들아, 추운데 여기서 뭐해?"

수연이는 수녀의 얼굴을 바라보지도 못하고 고개를 숙였다.

"이 옷 필요하니? 네가 입기에는 클 거 같은데."

"아빠 주려구요."

"그랬구나. 그럼 아빠 갖다 드리렴."

"근데 아가들이 추워서 안 되겠다. 우리 안으로 들어가자."

수녀는 아이들과 함께 성당의 사무실로 들어갔다.

"나는 마르티나 수녀야. 너는 이름이 뭐니?"

"수연이요. 최수연."

"수연이는 몇 살이야?"

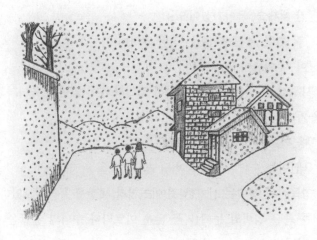

"열두 살이요……."

"그럼 초등학교 오학년?"

"원래는 그런데요. 지금은 일 년 동안 학교를 쉬고 있어요."

"왜, 어디가 아프니?"

"아니오. 아빠가 많이 아팠거든요. 동생들도 봐야 하구요."

"엄마는?"

"안 계세요. 돌아가셨어요."

"응, 그랬구나. 수연이는 정말 착하네."

"이 새 이름이 뭐예요?"

사무실 한쪽 새장 앞에 얌전히 쪼그려 앉아 있던 영욱이가 새장 안을 가리키며 물었다.

"응, 십자매라는 새야. 예쁘지?"

"네."

영욱이와 영재는 신기한 듯 이리저리 새장을 두들겨보았다. 수연이는 죽은 엄마의 눈매를 꼭 닮은 마르티나 수녀의 얼굴을 한참 동안 바라보았다.

그 후로도 수연이는 동생들을 데리고 자주 성당에 갔다. 그리고 영욱이와 영재는 마르티나 수녀로부터 성당에 있던 십자매를 선물 받았다. 동생들은 방 한쪽에 놓여 있는 십자매를 바라보며 온종일 즐거워했다. 하지만 방세 때문에 주인 아줌마가 성난 얼굴로 다녀간 후로 어린 수연이의 마음은 너무나 불안하고 무거웠다.

"엄마가 있었으면 이렇게 춥지는 않았을 텐데. 그렇지 누나?"

영욱이가 말했다. 동생의 말이 마음 아파 수연이는 밖으로 나갔다. 그리고 주인 아줌마 몰래 부엌으로 들어가 아궁이 위 솥에서 펄펄 끓고 있는 뜨거운 물을 큰 주전자에 가득 담았다.

"누나, 너무 따뜻하다."

주전자를 어루만지며 신이 난 영욱이가 말했다. 영재는 따뜻해진 손을 수연의 볼에 대고 해맑게 웃었다. 주전자 위에 빨간 단풍잎처럼 올려진 여섯 개의 손을 엄마는 창문 밖 겨울 햇살이 되어 슬프게 바라보고 있었다.

"누나는 엄마 보고 싶지 않아?"

"누나가 말한 대로 매일 매일 엄마 생각만 하면서 잤는데도, 엄마가 보이지 않아."

"영욱아, 이리 와."

수연이는 영욱의 얼굴을 품에 꼬옥 안았다.

"영욱아 가만히 들어 봐. 무슨 소리 들리지 않니?"

"응, 누나. 쿵쿵 하는 소리가 들려."

"그럼 이제 눈을 감아 봐. 지금 들리는 소리가 너에게로 오는 엄마의 발소리야. 눈을 뜨지 말고 가만히 있어. 그리고 엄마 얼굴을 생각해."

수연이는 터지려는 울음을 참으며 영욱이를 더욱 꼬옥 안았다.

"여보, 지난번엔 우리가 수연 아빠한테 너무했던 거 같아요."

주인집 여자가 말했다.

"당신도 그게 마음에 걸렸었구만."

"어린것들 데리고 어떻게든 살아보려고 발버둥치는 사람에게 이 엄동설한에 방을 빼달라고 했으니 얼마나 기가 막혔겠어요."

"임자는 진짜 그럴 셈이었나? 말이 그렇다는 거였지. 수연 아빠 아직 안 나갔겠지?"

"아직 안 나갔을 거예요. 열한 시나 넘어야 나가니까."

"안 나갔으면 아침이나 함께 하면 어떨까?"

"그게 좋겠네요. 그땐 내가 왜 그랬는지 몰라?"

"그럼 서둘러서 아침 준비하라구. 나는 가서 수연 아빠 데리고 올 테니까."

주인 남자는 마당을 지나 수연네 방으로 갔다.

"수연 아빠? 수연 아빠 안에 있어요?"

방안에선 아무런 대답이 없었다. 주인 남자는 방문 왼쪽에 있는 창문으로 방안을 슬쩍 들여다보았다. 그 순간 그는 몹시 놀라며 창문 쪽으로 바짝 다가섰다.

창문 가까이 있는 십자매들이 새장 바닥으로 떨어진 채 죽어 있었다. 주인은 서둘러 방문을 열고 안으로 들어갔다. 방안은 이미 연탄가스로 가득 차 있었고, 아이들의 입에서는 가는 신음 소리가 새어 나왔다.

"모두들 무사하니 정말 다행이에요. 오늘 아침에 제 남편이 그 방에 가 보지 않았으면 어쩔 뻔했어요? 정말 하늘이 도우셨지."

병실에 누워 있는 최씨를 바라보며 주인집 여자가 말했다.

"내가 십자매 죽은 걸 보았기에 망정이지 정말 큰일 날 뻔했어요, 수연 아빠. 전에 친구한테 들었거든요. 십자매가 연탄가스에 제일 약한 새라고……."

"수연 아빠, 그 동안 우리가 잘못했어요. 당분간은 방세 걱정하지 마세요. 그리고 내일부터라도 인부들 불러서 새로 방을 고칠 테니 연탄가스 걱정일랑 안 해도 돼요."

"고맙습니다. 늘 폐만 끼쳐 드려서 어쩌지요?"

"별말씀을 다 하시네요. 참, 그리고 아침에 수녀님 한 분이 다녀가셨는데, 수연이를 찾기에 여길 가르쳐 드렸어요."

환자복 차림의 수연이는 주인집 여자의 말에 놀랐다. 바로 그때 병실 문이 조용히 열리며 한 손에 노란 프리지어 꽃을 들고 마르티나 수녀가 안으로 들어왔다.

"수연아……."

마르티나 수녀의 목소리는 떨리고 있었다.

수연이는 자리에서 일어나 마르티나 수녀의 품으로 달려갔다. 어깨를 들먹이며 울고 있는 수연이의 입에서는 신음처럼 작은 소리가 새어 나왔다.

"엄마! 엄마! 엄마……."

창 밖에선 소리 없이 함박눈이 내리고 있었다. 하늘로 떠나간 엄마는 하얗게 눈을 뒤집어쓴 채 병실 유리창을 통해 울고 있는 수연이를 바라보고 있었다.

닿을 수 없는 그리움으로 눈송이처럼 하얗게 눈물을 흘리면서…….

한겨울 도시의 담벼락에 화사한 꽃이 피었습니다.
그 꽃을 등지고 서 있는 이름 없는 꽃 한 송이……

친구 엄마는 하루를 살기 위해 이리저리 쫓겨 다니며 떡을 팔았습니다.
왜 그들에겐 코뿔소의 뿔이 없을까요.
왜 그들에겐 바람 한 줄기 치받을 수 있는 염소의 뿔조차 없을까요.

마음의 정원

김씨가 인형 장사를 시작하고 나서 6개월쯤 지난 어느 날이었다.

밤 10시쯤, 한 중년의 사내가 김씨의 인형 좌판으로 다가왔다. 그는 김씨 앞에 놓여진 인형들 앞에 말없이 쪼그려 앉았다. 검게 때가 앉은 와이셔츠 위에 허름한 양복을 입고 있는 그의 얼굴엔 근심이 가득했다.

"이 인형 얼마예요?"

"신랑신부 인형이요? 삼천 원인데요, 손님."

"하나 주세요."

"네."

"장사는 잘 되나요?"

"웬걸요. 하루에 서너 개도 팔지 못할 때가 많아요. 그나마 인형이라도 팔아서 이렇게 살아갈 수 있으니 다행이지요."

"많이 파셔야 할 텐데……. 삼천 원이라고 하셨지요?"

"네, 손님."

"여기 있는 신부의 모습이 꼭 아내를 닮아서요."

그렇게 말하며 천 원짜리 세 장을 건네주는 사내의 눈에 눈물이 맺혀 있었다. 그는 봉지에 담긴 인형을 꺼내 양복 바깥 주머니에 넣고는 총총히 사라졌다.

김씨가 사내를 다시 본 것은 그로부터 열흘이 지나서였다. 점퍼 차림의 사내는 양손에 가득 짐을 들고 김씨에게 다가왔다. 전과는 달리 그의 얼굴은 매우 밝아 보였다.

"안녕하세요. 저 알아보시겠어요?"

"그럼요. 저번에 밤늦게 오셨던 분이시잖아요."

"그때 사간 신랑신부 인형을 한 쌍 더 사려구요."

"아, 그러세요?"

김씨는 신랑신부 인형 한 쌍을 봉지에 넣어 사내에게 주었다. 그런데 사내는 신부 인형을 꺼내 다시 김씨에게 건넸다.

"저는 신랑만 필요하니까 신부는 여기 두고 가도 되겠지요? 사실은 집에 있는 신부 인형이 얼마 전 자기 신랑을 잃어버렸거든요. 그래서 신랑 인형만 있으면 돼요."

"그럼 인형 값을 다 받기가 죄송한데……."

"무슨 말씀이세요. 마땅히 다 받으셔야지요. 신랑 인형만 가지고 가는 건 그럴만한 이유가 있어서 그러는 건데요 뭐……."

"그래도, 미안해서……."

김씨는 아무리 생각해도 미안한 마음이 가시지 않았다.

그때 사내는 바닥에 놓았던 보따리 안에서 물건이 담긴 검정색 봉지를 꺼냈다.

"이리로 오다가 길에서 과일 좀 샀어요. 별거 아니지만 집에 있는 아이들 갖다 주세요."

"왜 이런 걸……?"

"감사의 표시니까 그냥 받아주세요. 그리고 인형 많이 많이 파세요."

사내는 김씨에게 연거푸 감사하다며 머리 숙여 인사까지 하고는 그 자리를 떠났다. 김씨는 영문을 몰라 어리둥절해했다. 그런데 그가 주고 간 과일 봉지 안을 살펴보니 그 안에는 편지 한 통이 들어 있었다.

'열흘 전, 나는 밤거리에서 당신을 처음 만났습니다. 그 날 나는 세상에서의 마지막 하루를 보내며 밤길을 서성이고 있었습니다. 죽기 위해 미리 봐두었던 한강으로 가는 길에서 당신을 만났던 것입니다. 무심코 당신이 있는 곳을 보았을 때 당신은 아무도 거들떠보지 않는 인형들을 앞에 놓고 지나가는 사람들과 일일이 시선을 맞추고

있었습니다. 나도 모르게 당신의 그런 모습에 이끌려 신랑신부 인형을 샀습니다.

나는 사업에 번번이 실패했고, 오랫동안 빚쟁이들에게 쫓겨다녔습니다. 그리고 더 이상은 살아갈 자신이 없어서 차라리 죽음의 길을 택하려 했던 것입니다.

한강에 도착한 것은 새벽 2시가 다 될 무렵이었습니다. 죽음을 향해 가는 동안 여러 번 갈등도 했고, 아내와 자식들 생각에 절망도 했습니다. 하지만 그곳에 도착했을 때, 이상하게도 더 이상 흔들리지 않았습니다.

다리의 난간 위로 한 쪽 발을 올려 놓았습니다. 그런데 나머지 한 쪽 발을 땅에서 뗐을 때, 온몸이 떨려오기 시작했습니다. 눈을 꼭 감고 뛰어 내리려는 순간, 첨벙 하는 소리와 함께 날카로운 고통이 내 귀를 파고들었습니다. 두려움에 깊이 찔린 나의 몸은 중심을 잡지 못하고 그만 떨어지고 말았습니다. 그런데 내가 떨어진 곳은 강물이 아니라 다리 위의 콘크리트 바닥이었습니다. 나 자신도 그 순간을 정확히 기억하지는 못합니다. 하지만 나보다 먼저 어떤 물건이 강물로 떨어지며 들려준 아주 작은 소리가 내 의식 속을 송곳처럼 찌르고 지나갔습니다.

나보다 먼저 물 속으로 뛰어든 것은 내 주머니 속에 있던 인형이었습니다. 만일 그 인형이 나보다 먼저 떨어지지 않았다면, 나는 강물로 몸을 던지고 말았을 겁니다.

다리 난간에 기대앉아 한참을 울었습니다. 그 순간 아내와 아이들이 생각났습니다.

그리고 왜인지는 몰라도 당신의 모습이 떠올랐습니다. 가난하지만 세상을 증오하지 않고 거리에서 인형을 팔며 세상을 끌어안으려는 당신의 모습이 선뜻 내 앞으로 스쳐 지나는 것이었습니다.

만일 그 날 밤 당신을 만나지 않았더라면 나는 이미 이 세상 사람이 아닐 겁니다. 당신께 무어라 감사의 말씀을 드려야 할지 모르겠습니다.

참, 그리고 저도 내일부터 장사를 시작하려고 합니다. 거리에서 양말이라도 팔아보려고요. 오늘은 공장으로 직접 가서 양말을 사 가지고 오는 길입니다. 저에게 이런 용기와 희망을 주신 당신께 감사드립니다.'

그의 편지를 읽고 난 김씨에게도 무어라 말할 수 없는 힘이 솟아났다.

오늘 하루 하나밖에 팔지 못한 바닥의 인형들을 바라보며 그는 아내와 딸아이의 소중한 꿈을 생각했다. 그리고 장사를 시작하고 나서 하루하루 안으로 기어 들어가기만 했던 목소리에 기운이 실려 우렁차게 밖으로 터져 나왔다.

"인형 사세요! 예쁜 인형들 사 가세요!"

사람은 누구에게나 마음의 정원이 있다. 그 정원에 지금 무엇이 심어져 있는지는 중요하지 않다. 그런데 사람들은 끊임없이 계획을 세운다.

'사과나무를 심었으니 다음엔 포도나무를 심어야지. 그리고 그 다음엔 멋진 소나무를 꼭 심고 말 거야…….'

무엇을 심을까 고민하는 한 그 사람은 결코 행복해질 수 없다. 마음만 있다면 풀 한 포기만으로도 아름다워질 수 있는 게 우리의 인생이다.

이율배반

잠자리 한 마리가 가만히 풀 위에 엎드려 잠을 자고 있었습니다.
한 아이가 살금살금 다가와 있는 힘껏 잠자리채를 휘둘렀습니다.
'윙' 하고 바람 갈라지는 소리에 잠자리는 날개를 폈습니다.
가까스로 죽음을 모면한 잠자리가 아이를 향해 말했습니다.
"나에게 날개가 없었다면 어린 너한테 잡힐 뻔했구나."
그런데 바로 그 순간, 잠자리는 온몸을 뒤틀며 고통스러워했습니다.
아이에게 말을 하다가 그만 거미줄에 걸리고 말았던 것입니다.
파르르 날개를 떨고 있는 잠자리를 보며, 거미가 말했습니다.
"너에게 날개가 없었다면, 이렇게 거미줄에 걸리진 않았을 텐데.
아무리 움직여 봐야 소용없어. 움직일수록 더 조여들 뿐이니까."
거미는 그렇게 말하고 재빠른 동작으로 잠자리에게 다가갔습니다.
그 순간, 산새 한 마리가 허공을 가르며 총알처럼 날아왔습니다.
산새는 표적처럼 박혀 있던 거미를 낚아채듯 물고 갔습니다.
그리고 신음하는 거미에게 산새가 말했습니다.
"거미야, 미안해. 네가 몸을 그렇게 빨리 움직이지만 않았어도
나는 너를 보지 못했을 거야."

우리, 부족한 때문에 오히려 넉넉해질 때도 있습니다.

2장 사랑이 있는 한 우리는

엄마의 뒷모습

종현이네 집안은 너무나 어려워 학원 수강료를 낼 만한 형편이 못되었다. 그래서 종현이는 수강료를 내는 대신, 교실의 칠판 지우는 일을 하며 부족한 과목의 수업을 들었다. 수업이 끝나면 종현이는 많은 지우개를 들고 이 교실 저 교실을 바쁘게 옮겨 다녀야 했다. 그리고 수업이 시작되면 머리에 하얗게 백묵 가루를 뒤집어쓴 채, 맨 앞자리에 앉아 열심히 공부를 했다.

실밥이 뜯어진 운동화, 지퍼가 망가진 검은 가방, 그리고 빛이 바랜 옷. 종현이가 가진 것 중에 해지고 낡아도 창피하지 않은 것은 오직 책과 영어사전뿐이었다.

어느 추운 겨울이었다. 종현이는 책을 살 돈이 필요해서 엄마가 생선 장사를 하는 시장에 갔다. 그러나 몇 걸음 뒤에서 엄마의 뒷모습을 바라보고, 차마 더 이상 엄마에게 다가가지 못했다.

엄마는 낡은 목도리를 머리까지 친친 감고, 질척이는 시장 바닥의 좌판에 돌아앉아 도시락을 먹고 있었다. 김치 하나로 차가운 도시락을 먹는 엄마의 뒷모습을 바라보며 종현이는 눈물을 흘렸다.

종현이는 끝내 엄마를 부르지 못하고 그냥 집으로 돌아왔다. 그리고 그 날 밤 졸음을 깨려고 몇 번이고 책상에 머리를 부딪치며 하얗게 밤을 새웠다. 가엾은 엄마를 위해서…….

종현이의 아버지는 종현이가 어릴 적에 돌아가셨다. 그래서 종현이 엄마는 오직 하나님만을 믿고 의지하며 이제껏 두 아들을 힘겹게 키우셨다. 그러나 불행하게도 종현이의 형은 뇌성마비 장애인이었다. 웃는 얼굴이 더 무서운 형을 바라볼 때마다, 종현이의 마음은 견딜 수 없을 만큼 아팠다. 형은 장애인이었지만 엄마가 잘 아는 과일 도매상에서 리어카로 과일 상자를 나르는 일을 했다.

종현이는 엄마와 형을 생각하며 열심히 공부했다. 그리고 시간이 흘러 수능시험을 치렀고, 그토록 바라던 서울대에 합격했다.

종현이는 합격통지서를 들고 엄마가 계신 시장으로 갔다. 그 날도 엄마는 지나가는 사람들과 등을 돌리고 앉아 도시락을 먹고 있었다. 종현이는 엄마의 뒷모습을 바라보며 예전과 꼭 같은 아픔을 느꼈지만, 이제는 울며 뒤돌아가지 않고 엄마에게로 다가갔다. 그리고

인간의 존엄성을 사진 속에 담아온 존경받는 사진작가 최민식 선생의 사진을 그림.

따뜻한 국물도 없이 차가운 밥을 꾸역꾸역 드시는 엄마의 가난한 어깨를 뒤에서 힘껏 안았다.

"엄마……. 엄마, 나 합격했어……."

종현이는 눈물 때문에 더 이상 엄마의 얼굴을 바라볼 수 없었다. 엄마는 먹던 밥을 채 삼키지 못하고 하염없이 눈물을 흘렸다. 그리고 많은 사람들이 다니는 시장 길목에서 한참 동안 종현이를 안아주었다.

그 날 종현이 엄마는 찾아오는 단골 손님들에게 돈도 받지 않고 생선을 모두 내주었다. 뇌성마비로 말 한 마디 제대로 하지 못하는 종현이의 형은, 자신이 끌고 다니는 손수레에 종현이를 태웠다. 그리고 자신의 점퍼까지 벗어 종현이에게 입혀주고, 시장 안의 사람들에게 자랑을 하며 돌아다녔다. 시퍼렇게 얼어 있는 형의 얼굴에서도 기쁨의 눈물이 흘러내렸다.

그 날, 시장 한 구석에 있는 순대국밥 집에서 오랜만에 세 식구가 함께 저녁을 먹었다. 엄마는 그 날의 기쁨과 지나간 모진 세월의 슬픔으로, 국밥 한 그릇도 제대로 못 먹고 색 바랜 국방색 전대로 눈물만 찍으며 돌아가신 아버지 얘기를 했다.

"니네 아버지가 살아 계셨으면 무척 기뻐하셨을 텐데……. 니들은 아버지를 이해해야 한다. 누가 뭐래도 심성은 고우셨던 분이니까……. 사업에 계속 실패하시고 그놈의 가난이 지겨워서 매일 그렇게 술만 드셨던 거야. 모질게 엄마를 때릴 만큼 독한 분은 아니셨어. 그리고 에미로서 할 말은 아니다만, 몸이 성치 않은 자식을 둔 아비 심정이 오죽했겠냐. 내일은 아침 일찍 아버지께 가야겠다. 가서 이 기쁜 소식을 알려 드려야지…….”

종현이가 어릴 때, 엄마와 아버지는 자주 다퉜다. 종현이 아버지는 늘 술에 취해서 들어와 고래고래 소리를 질렀다. 그리고는 두려워 떨고 있는 어린 자식들 앞에서 하루가 멀다 하고 엄마를 모질게 때렸다. 온종일 겨울비가 내리던 날, 아버지는 끝내 스스로 세상을 저버리고 말았다. 아내와 자식들에 대한 죄책감으로 유서 한 장만을 남긴 채…….

질척이는 시장 바닥에서 지나가는 사람들과 등을 돌리고 김치 하나로 차가운 도시락을 드시던 엄마의 가엾은 뒷모습과, 다른 사람이 뭐라고 욕을 해도 바른말 한 마디 할 수 없는 뇌성마비 형의 일그러진 얼굴은 종현이가 확실한 꿈을 이룰 수 있게 한 아름다운 힘이 되어주었다.

이제 자신에게 남은 건, 굽이굽이 고개 넘어 풀꽃과 함께 누워 계신 아버지를 용서하고 일평생 엄마를 힘들게 했던 가난을 아름답게 보내는 일이라고 종현이는 눈물을 글썽이며 다짐했다.

늦은 밤 돌아오는 버스에서, 종현이는 어두운 창 밖을 바라보며 문득 앙드레 발로의 말을 생각했다.

“오랫동안 꿈을 그리는 사람은 마침내 그 꿈을 닮아간다”는 너무도 아름다운 말을…….

유리조각

태수는 병원 현관 앞을 서성거렸다. 엄마가 병원에 입원했다는 소식을 듣고 병원까지는 왔지만, 막상 엄마의 얼굴을 볼 용기가 나지 않았다. 태수는 2년 전에 집을 나왔다. 그 후로는 몇 달에 한 번씩 남동생과 통화를 했을 뿐이었다. 집을 나온 후 그는 복잡한 지하철에서 남의 지갑을 훔치며 하루하루를 살았다.

태수는 담배 연기에 눈살을 찌푸리며 병실 높은 곳을 올려다보았다. 한참을 그렇게 바라보던 그는 피우던 담배를 내팽개치고는 빠른 걸음으로 병원을 빠져나왔다.

거리엔 많은 사람들로 붐볐다. 동굴 같은 자신의 거처로 가기 위해 태수는 지하철로 향했다. 그런데 병원 앞에 있는 현금인출기 앞에서 한 젊은 여자가 많은 돈을 핸드백 속에 넣고 있는 것이 보였다. 그 순간 출렁이던 그의 눈빛이 멈춰졌다. 태수는 야수처럼 양미간을 좁히고 그녀의 뒤를 따라갔다.

그녀는 한 지하도 안으로 들어갔다. 그녀가 지하도 계단을 내려갈 때, 태수는 뒤에서 달려 내려와 그녀와 몸을 부딪치며 돈이 들어있는 핸드백을 순식간에 낚아챘다.

태수는 그 날 이후, 소매치기한 돈으로 술을 마시며 방탕한 생활을 했다.

하루는 친구를 불러내 밤늦도록 술을 마셨다. 소매치기를 해서인지 그는 유난히 다른 사람들의 눈빛을 집요하게 살피는 버릇이 있었다. 그 날도 술집에서 술을 마시며 습관대로 옆에 앉아 있던 사람들의 얼굴을 계속 바라보다가 결국 시비가 붙어 격렬한 싸움까지 벌어지고 말았다. 그 싸움으로 상대편 사람들이 많이 다쳤고, 신고를 받고 출동한 경찰은 가담자 모두를 연행했다.

밤새 조서를 꾸몄다. 태수는 모든 게 불리했다. 교도소에 가지 않으려면 피해자 측과 어떻게든 합의를 봐야 했다. 하지만 그에게는 합의금을 줄 만한 여유가 없었다.

다음날 아침, 그는 할 수 없이 동생에게 전화를 걸었다. 동생은 전화를 받고 곧바로 달려왔다.

"이런 일로 불러서 정말 미안하다. 너에게 할말이 아니라는 건

알지만 합의금을 마련하지 않으면 형사 입건되거든. 너 말고는 연락할 데가 없었어."

"형은……, 왜 그 동안 엄마에게 한 번도 오질 않았어?"

"사실은…… 전에 한 번 병원에 가긴 갔었어. 차마 들어갈 수 없어서 그냥 돌아왔지만……. 엄마는 좀 어떠시냐?"

"놀라지 마, 형……. 엄마, 돌아가셨어. 장례식 끝난 지 일 주일도 안 돼."

"뭐? 왜 돌아가신 거야? 왜……?"

"왜는 왜야? 결국은 병원비 때문에 돌아가신 거지."

"아니 병원비 없다고 사람을 죽게 해? 그게 병원이야?"

"워낙에 많은 수술비가 들어서 그 사람들도 어쩔 수 없었나 봐. 그래도 병원 측에서 많이 도와줬어. 나중엔 할 수 없이 엄마를 집으로 모셔갔지 뭐. 그리고 나서 한 달도 못 돼서 돌아가셨어."

"아무리 그래도 그렇지, 사람이 죽을 줄 알면서도 그대로 내친다는 게 말이 되냐? 세상에 이런 일이 어딨어? 이러니까 내가 세상에 정 붙이지 못하고 벌레처럼 사는 거야. 아니 그렇게 돈 구할 데가 없었냐? 내게라도 연락을 했어야지."

"언제 형이 나한테 연락처 같은 거 가르쳐 준 일 있어? 형이 너무했다는 생각은 안 해? 얼마 전 내 여자친구가 정말 어렵게 엄마 수술비를 마련했어. 근데 그걸 내게 갖다주려고 병원으로 오다가 어떤 놈한테 소매치기 당했대. 하도 순식간에 일어난 일이라 그 놈을 잡지도 못했고. 결국 그 놈의 소매치기가 엄마를 죽인 거나 마찬가지야……."

동생의 말을 듣는 순간 태수의 온몸이 굳어졌다. 그리고 자신이 생각한 게 틀리기를 바라면서 더듬더듬 다시 물었다.

"그 돈…… 어디서 소매치기 당했어?"

"엄마 있던 병원 바로 앞에 있는 지하도 계단에서……."

사람들은 마음속에 유리조각을 꽂아 놓고 모르는 사람들이 다가오는 것을 경계한다. 심지어는 친한 사람들의 속마음까지도 실눈을 뜨고 경계할 때가 있다. 하지만 대부분의 경우, 우리에게 해를 끼치는 것은 다른 사람이 아니다. 그것은 바로 우리들 자신이다.

나팔꽃

사월이면 영희의 엄마는 창가에 나팔꽃을 심었다. 그리고 영희가 여덟 살 때 나팔꽃이 손가락 마디만큼 얼굴을 내밀 무렵, 엄마는 집을 나가버렸다. 아빠는 그 해 가을, 엄마가 심어 놓은 나팔꽃에서 검정색 씨앗을 받았다. 그렇게 여섯 해가 지나도록 매년 영희네 집 창가엔 나팔꽃이 피어났다.

엄마가 집을 떠난 뒤, 아빠는 공장일까지 그만두고 이곳 저곳 엄마를 찾아 다녔다. 그리고 그 해 겨울부터 아빠는 술을 마시며 하루하루를 힘겹게 보냈다. 아빠는 술 없이는 하루도 견딜 수 없는 사람이 되어버렸다. 동네 아줌마들은 그런 아빠를 알코올 중독자라고 수군거렸다. 아빠가 끼니도 거른 채 술에 취해 누워 있으면, 영희는 울면서 아빠에게 밥을 떠주었다. 그렇게라도 하지 않으면 아빠가 금

세 죽을 것만 같았다. 아빠는 눈물 가득한 눈으로 영희가 떠주는 밥을 먹었다.

"아빠, 이제 술 좀 그만 먹어."

"미안해, 영희야. 조금만 기다리면 아빠 괜찮을 거야. 지금은 너무 힘들어서 그래."

"왜, 힘든데 아빠?"

"기다리는 게 너무 힘들어서……."

기다리는 게 힘들다는 아빠의 말을 영희는 이해할 수 있었다.

엄마가 집을 나간 후로, 아빠는 늘 엄마를 그리워했다. 벽에 걸린 액자 속에서 엄마는 나비처럼 꽃밭에 앉아 있었다. 낮은 대문으로 보이는 영희네 집 방문 앞에는 엄마가 신었던 검정 구두가 놓여 있었다. 엄마가 그리울 때면 아빠는 늘 엄마의 구두를 닦았다. 아빠가 닦아 놓은 엄마 구두엔 한낮에는 총총히 별이 떴다가 밤이 되면 사라졌다.

일요일 오후, 영희는 운동회 때 신을 신발을 빨고 있었다.

"영희야, 이번 운동회 땐 아빠가 꼭 같이 갈게."

"정말이지 아빠? 이번에도 지난번처럼 술 취해서 못 간다고 하면 안 돼, 알았지?"

"그래. 이번엔 꼭 갈게. 김밥도 싸고, 맛있는 것도 사 가지고 말야."

운동회 전날, 아빠는 술을 마시지 않았다. 그리고 몇 달 만에 이 발소까지 다녀왔다.

운동회 날, 아빠는 아침 일찍 일어나 김밥을 쌌다. 아빠 손을 잡고 학교로 가는 길가엔 노란 장미가 폭포처럼 쏟아져 내리고 있었다.

"아빠, 장미가 너무 예쁘다, 그치?"

아빠는 영희의 말을 듣자마자 곧바로 담 위로 뛰어 올랐다. 그리고 장미 한 송이를 꺾어 영희에게 주었다. 영희는 병아리 같은 노란 장미를 코끝에 비비며 길을 걸었다. 아빠와 함께 걷는 길이 영희는 너무 행복했다. 하지만 아빠는 창백한 얼굴로 흘러내리는 땀을 연신 손수건으로 닦으며 몹시 힘겨워했다.

"아빠, 왜 그렇게 땀을 많이 흘려?"

"아빠는 더위를 많이 타잖아. 여름에 태어나서 그런가 봐."

학교 앞은 많은 사람들로 붐볐다. 오리 궁둥이 같은 솜사탕을 파는 아저씨도 있었고, 풍선을 파는 아줌마들도 있었다. 영희는 활짝 웃으며 아빠의 얼굴을 바라보았다.

운동장 안에는 체육복을 입은 아이들이 줄을 지어 서 있었다. 서둘러 정문을 들어서는데, 갑자기 아빠가 걸음을 멈췄다.

"영희야, 미안한데 아빠 집으로 가면 안 될까? 몸이 너무 아파서 그래."

"이번에도 또 나 혼자 있으란 말야? 아빠는 맨날 술만 먹으니까 그렇잖아."

"미안해, 영희야……."

"친구들이 엄마 아빠하고 점심 먹을 때 내가 얼마나 슬픈 줄 알아? 나는 맨날맨날 혼자서 밥 먹는단 말야."

"아빠가 우리 영희에게 할 말이 없구나. 미안해."

"아빠 가고 싶으면 가. 나 혼자 가도 되니까."

영희는 눈물을 흘리며 교문 안으로 들어갔다. 영희가 몇 번을 뒤돌아보아도 아빠는 가지 않고 멀리서 영희를 바라보고만 있었다.

영희는 쓸쓸한 운동회를 마치고 저녁 늦게 집으로 돌아왔다. 그런데 잠든 아빠의 옆머리에 손바닥만한 하얀 거즈가 붙어 있었다. 아빠는 술 때문에 벌써 여러 번 얼굴과 머리를 다친 적이 있었다. 잠든 아빠 얼굴을 바라보던 영희는 자신도 모르게 눈물이 나왔다. 영희의 울음소리에 아빠는 잠에서 깨어났다.

"술 먹고 또 이렇게 다치려고 운동회에도 안 온 거야?"

아빠는 아무 말이 없었다.

"또 누가 밀어서 넘어졌다고 그럴 거지? 나도 다 알아. 아빠 술 먹고 맨날 길에서 쓰러지는 거."

영희의 물음에 아빠는 끝끝내 아무런 말도 하지 않았다. 그 날 밤 영희는 아빠가 너무 미웠다.

그러나 운동회 날 아빠가 머리를 다친 건 영희 때문이었다. 그 날 영희에게 줄 장미를 꺾다가 아빠는 창살에 머리를 다친 거였다. 여섯 바늘이나 꿰맬 정도의 큰 상처였다. 아빠는 내의가 다 젖을 정도로 피를 흘리면서도 영희가 모르게 하려고 땀을 닦는 척하며 학교까지 바래다준 것이었다.

기다란 벌레처럼 딱지가 내려앉은 아빠의 상처를 보면, 영희는 눈물이 났다.

"왜, 말하지 않았어, 아빠? 그렇게나 많이 다쳤으면서."

"운동회 날인데 너 마음 상할까 봐 그랬어. 그렇지 않아도 아빠 때문에 늘 마음 아파하는데⋯⋯."

아빠는 그렇게 말하며 영희를 꼭 끌어안았다.

"영희야, 힘들어도 조금만 참아. 오늘이 우리가 살아갈 날의 전부는 아냐. 아빠, 이제부터 술 안 마실게. 그리고 일도 다시 시작할 거구."

"정말이지 아빠? 정말 술 안 마실 거지?"

"응, 약속할게."

아빠는 손가락까지 걸며 영희에게 약속했다.

"아빠⋯⋯. 엄마는 언제 올까?"

"아빠도 언제라고는 말할 수 없어. 하지만 엄마는 꼭 돌아올 거야."

그렇게 말하는 아빠의 얼굴은 예전처럼 슬퍼 보이지 않았다.

창가에 피어 있는 나팔꽃을 바라보며 영희는 엄마 얼굴을 생각했다. 나팔꽃이 필 때면 엄마가 돌아올지도 모른다는 생각에 영희의 마음은 늘 설레곤 했다.

오래 전 나팔꽃을 심으며 엄마는 영희에게 말했었다. 사랑하는 이의 얼굴이 보고 싶어서 나팔꽃은 힘겹게 창문 위를 기어오르는 거라고…….

그런 생각을 할 때마다 창가의 나팔꽃은 엄마 얼굴이 되어 영희 얼굴을 바라보고 있었다.

아내의 겨울

오늘도 일자리에 대한 기대를 안고 새벽부터 인력시장엔 수많은 사람들이 모여들었다. 정호가 경기 침체로 인해 공사장 일을 못한 지 벌써 넉 달. 인력시장에 모였던 사람들은 가랑비 속을 서성거리다 쓴 기침 같은 절망을 안고 뿔뿔이 흩어졌다.

정호의 아내는 지난달부터 시내에 있는 큰 음식점으로 일을 다니며 정호 대신 힘겹게 가계를 꾸려나갔다.

어린 자식들과 함께 한 초라한 밥상에서 정호는 죄스러운 한숨만 내뱉었고, 그런 자신이 싫어서 오늘도 거울을 보지 않았다. 아이들만 집에 남겨 두고 정호는 오후에 다시 집을 나섰다. 목이 긴 작업 신발 속에 발을 밀어 넣으며 끝내 빠져 나올 수 없는 어둠을 생각했다. 혹시라도 주인집 여자를 만날까 봐 발소리조차 그의 것이 아니었다. 벌써 여러 달째 밀려 있는 집세를 생각하면 그는 어느새 고개 숙인 난쟁이가 되어 버렸다.

저녁 즈음에 오랜 친구를 만나 일자리를 부탁했다. 친구는 일자리 대신 삼겹살에 소주를 샀다. 술에 취해 고달픈 삶에 취해 산동네 언덕길을 오를 때 야윈 그의 얼굴 위로 떨어지던 무수한 별빛들. 집 앞 골목을 들어서니 귀여운 딸아이가 그에게로 달려와 안겼다.

"아빠, 엄마가 오늘 고기 사왔어. 아빠 오면 해먹는다고 그래서 아까부터 아빠 기다렸어."

일을 나갔던 아내는 늦은 시간 저녁 준비로 분주했다.

"사장님이 애들 갖다주라고 이렇게 고기를 싸주셨어요. 그렇지 않아도 영준이가 며칠 전부터 고기 반찬 해달라고 했는데 어찌나 고맙던지요."

"집세도 못 내면서 고기 냄새 풍기면 주인 볼 낯이 없잖아."

"저도 그게 마음에 걸려서 지금에야 저녁 준비한 거예요. 열한 시 넘었으니까 다들 주무시겠죠, 뭐."

불고기 앞에서 아이들의 입은 꽃잎이 됐다. 그런 아이들을 바라보며 아내는 행복해했다.

"천천히들 먹어. 잘 자리에 체할까 겁난다."

"엄마, 내일 또 불고기 해줘, 알았지?"

"내일은 안 되고 엄마가 다음에 또 해줄게. 우리 영준이 고기 먹고 싶었구나?"

"응……."

아내는 어린 아들을 달래며 정호 쪽으로 고기 몇 점을 옮겨 놓았다.

"당신도 어서 드세요."

"나는 아까 친구 만나서 저녁 먹었어. 당신이 배고프겠다. 어서 먹어."

정호는 아내의 성화에 못 이겨 고기 몇 점을 입에 넣었다. 그리고 마당으로 나와 달빛이 내려앉은 수돗가에 쪼그려 앉아 아무도 모르게 눈물을 훔쳤다. 가엾은 아내……. 아내가 가져온 고기는 음식점 주인이 준 게 아니었다. 숫기 없는 아내는 손님들이 남기고 간 쟁반의 고기를 비닐 봉지에 서둘러 담았을 것이다.

아내가 구워준 고기 속에는 누군가 씹던 껌이 노란 종이에 싸인 채 섞여 있었다. 아내가 볼까 봐, 정호는 얼른 그것을 집어서 삼켜버렸다. 아픈 마음을 꼭꼭 감추고 행복하게 웃고 있는 착한 아내의 마음이 찢어질까 봐…….

정호는 늦은 밤, 아내의 구두를 닦는다. 별빛보다 총총히 아내의 낡은 구두를 닦으며 내일의 발걸음은 지금보다 가볍고 빛날 것이라는 희망을 가져본다.

2000년 서울

날이 새면 사람들은 일터로 나가 전쟁을
치렀습니다. 하지만 산동네 사람들은 공
동화장실 앞에 줄을 서서 자신의 본능과
먼저 싸워야 했습니다.

산동네에 어둠이 내리면, 어린 딸은 계단에 앉아 아빠를 기다렸습니다. 그리고 오늘도 일자리를 구하지 못한 채, 힘겹게 언덕길을 오르는 아빠의 뺨 위로 무수한 별빛만 쏟아져 내렸습니다.

크리스마스 선물

1

아침부터 함박눈이 소리 없이 내리고 있었다. 새벽 세 시 반이면 천둥처럼 울리는 시계 소리에 민호는 눈을 떴다. 자기를 두고 가버릴까 봐 방문에 기대어 잠든 어린 동생을 민호는 차마 보육원으로 보낼 수 없었다.

　신문보급소로 가는 길에 민호는 언제나처럼 주머니 속에 있는 엄마 장갑을 꺼내 가만히 얼굴에 대고 새벽 하늘을 바라보았다. 그럴 때마다 엄마는 별빛으로 다가와 민호에게 속삭였다.

　'민호야, 언제까지 그렇게 아파할 거야? 이제 그만 엄마를 잊어야지……'

　새벽 하늘을 바라보는 민호의 눈가엔 어느새 눈물이 고여왔다.

"경호야, 이거 먹어."

"형, 오늘도 돈 많이 벌었어?"

"응……."

"근데, 형. 오늘밤에 산타할아버지가 우리 집에도 선물을 가져 오겠지?"

경호의 물음에 민호는 아무런 대답도 하지 않았다. 어둠이 내린 저녁, 하늘에서 내려온 눈송이들이 나비 떼처럼 나풀나풀 어둠 속을 날아다니고 있었다.

크리스마스 새벽, 따갑게 들려오는 시계소리에 경호가 더 먼저 일어났다. 경호는 졸린 눈을 비비며 방문을 열었다.

"형, 이거 봐. 산타할아버지가 선물을 두고 갔어."

방문 밖엔 털이 수북한 흰색 강아지 한 마리가 앉아 있었다. 경호는 그 조그만 강아지를 끌어안고 눈물을 글썽이며 좋아했다.

새로 생긴 친구의 이름은 별님이었다. 온종일 혼자 지내는 경호에게 별님인 소중한 친구가 돼주었다. 어느 날 새벽인가 민호가 잠결에 눈을 떴을 때, 별님이는 하얗게 튼 민호의 손을 핥아주고 있었다.

2

별님이는 다급하게 대문을 나섰다. 눈 위에 조그만 발자국을 찍으며 달려갔지만, 이웃집 대문은 굳게 잠겨 있었다. 별님이는 숨 가쁘게

교회 앞마당으로 들어섰다. 잠시 후 별님이가 짖는 소리에 한 사내가 걸어 나왔다. 사내 뒤를 따라 나온 여자아이가 물끄러미 별님이를 바라보고 있었다.

"누구네 집 개가 저렇게 짖는 거지?"

"배고파서 그런가 봐, 아빠. 다리도 다친 거 같은데 안으로 데리고 들어갈까?"

"주인이 찾고 있을지도 모르잖아."

"근데, 아빠. 강아지가 왜 빨간 끈을 입에 물고 있지?"

"그냥 물고 있는 거겠지, 뭐."

바로 그때, '멍멍' 짖고 있는 별님이 입에서 빨간색 끈이 땅으로 떨어졌다. 별님이는 땅에 떨어진 끈을 다시 입에 물었다.

"아빠, 강아지가 저쪽 골목에서부터 이 끈을 물고 왔나 본데……."

골목 밖을 가리키며 아이가 말했다.

"놔두고 들어가자. 주인이 와서 찾아갈 거야……."

사내는 그렇게 말하고 안으로 들어가버렸다. 그러나 아이는 별님이에게 다가갔다.

"넌 어디서 왔니? 무슨 일이 있는 거야?"

별님이는 '멍멍' 짖으면서 아이의 주변을 빙빙 돌더니 끈을 다시 물고 골목 쪽으로 달려갔다. 별님이가 입에 물고 있던 빨간색 끈은 좁은 골목을 지나 경호네 집까지 연결되어 있었다. 아이가 경호

네 집 대문을 들어섰을 때, 경호는 머리에 피를 흘리며 장독대 아래에 쓰러져 있었다.

경호는 병원으로 옮겨졌다. 그리고 입원한 지 사흘이 지나 병원을 나왔다. 그런데 경호가 집으로 돌아오고 나서 며칠이 지난 어느 날 별님이가 없어졌다. 여러 날을 애타게 기다렸지만 별님이는 돌아오지 않았다.

"경호야, 형 주머니에 있던 엄마 장갑 못 봤니?"

"응……."

"어디 갔지? 분명히 주머니 안에 있었는데."

민호는 저녁 내내 엄마의 장갑을 찾았다. 하지만 엄마의 장갑은 어디에도 보이지 않았다.

"형, 별님이는 어디로 간 걸까? 너무 보고 싶은데……."

"기다려 봐. 별님이는 꼭 돌아올 거야."

"정말 돌아오겠지?"

"근데, 경호야. 너는 왜 별님이란 이름을 지어준 거야?"

"형이 말했잖아. 엄마는 지금 하늘 나라의 별이 됐다고……. 그래서 별님이라고 한 거야."

"그랬구나."

"형! 근데 별님이가 차에 치였으면 어떡하지? 다리가 아파서 잘 걷지도 못하는데……."

순간 다리에 붕대를 감은 채 힘겹게 누워 있던 엄마의 마지막 모습이 떠올라 민호는 소스라치게 놀랐다.

　　"경호야, 별님이 말야, 우리 집에 처음 왔을 때부터 다리 아팠었지?"

　　"응……."

　　민호는 잠시 깊은 생각에 빠졌다.

　　'장독대에서 떨어진 경호를 구해준 별님이, 그리고 새벽바람에 하얗게 튼 손을 핥아주던 별님이는 하늘나라에서 내려온 엄마였을까. 엄마를 더 이상 그리워하지 말라고 엄마는 별님이가 되어 장갑까지 가져가버린 것일까.'

　　민호는 마당에 서서 밤하늘을 바라보았다. 밤하늘 높은 곳에서 유난히 밝은 별 하나가 울고 있는 민호를 내려다보고 있었다.

　　'옳지. 슬플 땐 그렇게 별을 바라보는 거야. 눈물이 나와도 꾹 참아야 돼. 너에겐 눈물을 닦아줘야 할 어린 동생이 있잖아.'

　　엄마는 푸른 별빛으로 밤하늘을 내려와 울고 있는 민호의 얼굴을 어루만지고 있었다.

"옳지…… 슬플 땐 그렇게 하늘을 바라보는 거야. 눈물이 나와도 꾹 참아야 돼.
너에겐 눈물을 닦아줘야 할 어린 동생이 있잖아……."
엄마는 푸른 별빛으로 밤하늘을 걸어 내려와 울고 있는 민호의 얼굴을 어루만지고 있었습
니다.
민호는 엄마가 해주었던 말을 몇 번이고 되뇌어보았습니다.
"지나간 바람은 춥지 않은 거야……."
"지나간 바람은 춥지 않은 거야……."

세상을 건너 갈 징검다리

종민이는 몸이 너무 약했다. 여름날 아침이면 조회를 하다가 쓰러져 양호실로 실려간 적도 여러 번 있었다. 체육 시간에 오래 달리기라도 할라치면 꼴찌는 언제나 종민이의 몫이었다. 종민이는 그런 자신의 모습이 너무 싫었다. 그래서 부모님까지도 원망한 적이 있었다. 특히 남녀공학 고등학교에 입학하면서부터 체육 시간만 되면 종민이의 자존심은 달팽이처럼 움츠러들었다.

2학년 가을이었다. 종민이가 다니던 학교는 개교 50주년 기념 행사로 10킬로 단축 마라톤 경기가 있을 예정이었다. 학교를 출발해 정해진 코스를 달린 후, 다시 학교로 돌아오는 경기였다.

종민이는 마라톤 행사 계획을 보며 무력감으로 고개 숙인 그 동안의 자존심을 회복해야겠다는 생각이 들었다. 그래서 마라톤 경기

보름 전부터 집 근처 공원으로 가서 하루 한 시간씩 마라톤 연습을
했다.

마라톤 경기가 있던 날, 날씨는 화창했다. 마라톤 출발선에 섰
을 때 같은 반 친구인 재혁이가 종민이의 등을 치며 말했다.

"소현이가 지켜보고 있으니까, 잘 뛰어. 저기 봐."

소현이는 책상에 앉아 들어오는 선수들에게 나눠줄 번호표를
쓰고 있었다. 소현이를 보자 종민이는 끝까지 경기를 포기하지 않겠
다고 다시 한 번 다짐했다. 출발 신호와 함께 가을 햇살을 등뒤로 받
으며 100여 명의 학생들이 교문을 빠져나갔다.

한참을 달리다 경사진 언덕을 오를 때, 종민이는 갑자기 가슴이
뻐근해지고 숨이 턱까지 차올랐다. 1킬로도 채 뛰지 못하고 종민이
의 체력은 급격히 떨어졌다. 현기증으로 눈앞이 아득해졌고 이마에
선 식은땀이 흘러내렸다. 어쩔 수 없이 달리는 속도를 조금씩 늦추
었다. 그러다 보니 뒤에 달리던 몇 명의 아이들까지 종민이를 앞질
러 갔다. 이제 종민이는 꼴찌로 달리고 있었다. 혹시나 하고 몇 번을
뒤돌아보았지만 아무도 보이지 않았다.

결국 경기를 포기해야겠다고 마음먹고 열 걸음 정도를 그냥 걸
었다. 그런데 바로 그때, 종민이의 등뒤에서 사람들의 환호와 박수
소리가 들려왔다. 종민이와 100미터 이상 떨어진 거리에서 한 친구
가 쓰러질 듯한 모습으로 달려오고 있는 게 아닌가. 종민이는 꼴찌

가 아니었다. 종민이는 다시 힘을 내서 달리기 시작했다. 꼴찌는 종민이와의 거리를 좁히지 못했지만, 사력을 다해 달려오고 있었다. 사람들은 꼴찌를 향해 환호와 격려의 박수를 보내주었다.

자신의 뒤에서 누군가 달린다는 안도감에 종민이는 9킬로를 달렸고 경기는 종반에 이르렀다. 종민이는 그 먼 거리를 달려오면서 계속 뒤를 돌아보았다. 포기하지 않고 10킬로를 완주하는 것이 목표였지만 그 날만큼은 꼴찌가 되고 싶지 않았다.

마지막 힘을 다해 교문을 들어설 때까지도 꼴찌는 종민이와의 거리를 좁히지 못했다. 선생님과 학생들의 박수를 받으며 종민이는 마침내 결승점에 도착했다. 깊은 숨을 몰아쉬며 자신의 뒤로 달려 들어올 친구를 기다렸다. 그런데 잠시 후 그 친구가 결승점을 얼마 남기지 않고 경기를 포기했다는 사실을 알게 되었다. 종민이는 왠지 마음이 아팠다. 결국 꼴찌가 되었지만, 그래도 끝까지 뛴 자신이 자랑스러웠다.

그 날 집에서 저녁을 먹으며 종민이는 가족들에게 그 날의 일을 자랑스럽게 말했다.

"경기에서 꼴찌로 들어왔지만, 스무 명 정도가 도중에 포기했으니까 내가 꼴찌는 아냐."

"그것 봐라. 너보다 더 약한 애들이 얼마나 많니? 날씨도 더웠는데 다들 얼마나 힘들었겠냐?"

종민이 엄마는 안쓰러운 표정을 지으며 말했다.

"근데 내 뒤에 달려오던 친구가 거의 다 와서 경기를 포기하더라구. 그 친구만 끝까지 뛰었어도 내가 꼴찌는 면할 수 있었는데 말야. 하지만 엄마, 그 친구가 없었다면 나도 중간에 포기하고 말았을 거야."

"……."

그 날 밤 종민이는 피곤한 줄도 모르고 밤늦도록 책상에 앉아 공부를 했다. 그때 안방 문틈 사이로 아버지의 가는 신음 소리가 들려왔다. 아버지도 오늘 하루 꽤나 힘든 일이 있으셨나보다 하고 종민은 생각했다. 종민의 아버지도 종민이처럼 몸이 많이 약했다.

그러나 다음날, 종민이는 아버지가 왜 밤새도록 끙끙 앓았는지를 알게 되었다. 마라톤 경기가 있던 날, 자신의 뒤에서 꼴찌로 달렸던 사람은 바로 자신의 아버지였다. 그는 꼴찌로 달리며 종민이에게 안도감을 주었고, 끝까지 포기하지 않는 꼴찌의 모습을 통해 종민이를 격려했던 것이다.

종민이보다 더 약한 몸으로 아버지는 그 긴 거리를 달렸다. 하지만 그가 흘린 땀은 종민이가 세상을 건너갈 징검다리가 되었다. 그는 늘 이렇게 말했다.

"아빠는 네가 훌륭한 사람이 되는 것보다 행복한 사람이 됐으면 좋겠어. 그리고 너무 똑똑한 사람이 되기를 바라지도 않아. 조금은 어리석어야 따뜻한 사람이 될 수 있거든……."

아버지가 몸소 실천으로 보여준 행동과 말은 언제까지나 마음 속에 남아 종민이가 살아가면서 힘겨울 때마다 힘이 될 것이다.

잠자는 아가에게

잠자는 아기를 등에 업은
몸빼바지의 젊은 여자는
조심스럽게
대합실 바닥을 청소했다.

뚱뚱한 역무원은
그녀의 굼뜬 동작을
호되게 나무랐지만
바보처럼 미소지을 뿐
그녀는 말이 없다.

잠자는 아가야
어서 자라서
엄마의 아픈 마음을
어루만져주렴.
너의 평화로운 잠을 위해
가슴을 찌르는 말에도
웃고만 있는 네 엄마는
바보가 아니란다.
말 못하는 바보가 아니란다.

첫눈

정아의 아빠는 그녀가 여덟 살 때, 아내와 딸을 버리고 다른 곳에서 가정을 이루었다. 정아는 그런 아빠를 수도 없이 원망하며 힘든 사춘기를 보냈다. 그리고 그녀의 엄마도 그녀가 중학교 3학년 때 재혼했다. 하지만 아빠에 대한 상처 때문에 정아는 8년이 넘도록 새아빠에게 아빠라고 불러 본 적이 없었다. 새아빠는 가끔 술에 취해 들어와 집안에 분란을 일으키기도 했는데, 그녀는 그런 새아빠가 너무 싫었다.

정아는 대학병원의 간호사로 일하며 병원 근처에 방을 얻어 혼자 살고 있었다. 그런데 새아빠는 그녀가 근무하는 병원의 경비로 일했다. 병원 원무과의 아는 선배로부터 경비를 모집한다는 말을 들고, 그녀는 내키지도 않는 새아빠를 소개했다. 그것은 단지 자신의 엄마를 위해서였다. 엄마가 생활 때문에 고통 받지 않았다면 정아는 새아빠와 매일 마주치는 그런 일은 하지 않았을 것이다.

그녀는 출근할 때도 경비실에 있는 새아빠의 시선을 애써 외면했다. 그러다 가끔 병원 로비에서 마주치면 어색하게 한 번 웃고는 서둘러 그 자리를 피해버렸다. 그리고 식사 때가 되면 병원 구내식당에서 마주칠까 봐, 점심시간이 거의 다 끝날 무렵에야 식당으로 간 적도 있었다.

어느 날 점심시간에 그녀가 구내 식당으로 갔을 때, 새아빠가 그곳에 와 있었다. 그런데 새아빠는 식당 조리실 안에서 젊은 아주머니와 정답게 이야기를 나누고 있었다. 새아빠는 대화 도중 다른 사람들의 눈치를 살피기도 했는데, 그것을 보는 순간 정아는 어릴 적 친아빠에게서 받은 아픈 상처가 되살아났다.

그 후로도 정아는 식당 조리실을 기웃거리는 새아빠의 모습을 여러 번 보았다. 그때마다 그는 식당의 젊은 아주머니와 다정하게 말하고 있었다. 정아는 그런 새아빠를 경멸의 눈으로 바라보게 되었다.

"엄마, 새아빠 그 사람, 지금도 엄마한테 잘해?"

그녀는 빈정거리며 물었다.

"넌 무슨 말버릇이 그러냐? 누가 뭐래도 이제껏 널 가르친 분이야."

"요즘 못 봐주겠더라구, 정말……."

"왜? 무슨 일 있었냐?"

"엄마도 남편 복 정말 없는 거 같아. 처자식 다 내팽개치고 가는 사람이 없나……."

"말 함부로 하지 마라. 그래도 너한테는 아버지야."

"엄마는 그런 사람이 용서가 돼?"

"처음엔 엄마도 많이 힘들었지. 하지만 세월이 많이 지났잖아. 너도 이제는 마음 풀어."

"싫어. 난 절대로 용서 못 해."

"마음속에 미움 두고 살면 못 써. 사람이 살아가다 보면 남에게 상처를 줄 때도 있는 거야. 이제는 아버지를 용서해라. 다른 사람을 용서하는 게 자기를 용서하는 거야."

"엄마나 많이 용서해. 착해서 늘 상처받는 엄마가 난 정말 싫으니까. 그리고 엄마도 정신 차려. 두 번씩 그런 일 당하지 말고."

정아는 거기까지 말하고 나자 차마 더 이상은 말할 수 없었다.

하루는 간호사실로 그녀를 찾는 전화가 왔다. 그녀의 엄마였다. 그 날 근무를 마치고 정아는 곧장 엄마 집으로 갔다.

"이거 받아라. 아빠가 너 준다고 사왔어."

"장갑 아냐?"

"날씨도 추운데 네가 맨손으로 다니는 게 마음에 걸리신 모양이야."

"난 거추장스러워서 장갑 안 껴. 엄마나 끼고 다녀."

"엄마 것도 사오셨어. 웬만하면 그냥 끼고 다녀라. 아빠 성의를 생각해서라도……."

"싫어. 촌스러워서. 장갑 사다 줄 여자 병원에 또 있을 텐데……."

"무슨 말이야, 그건?"

"요즘 그 사람 행동 이상하지 않아?"

"그 양반 요새 고생이 말이 아냐. 아빠 당부도 있고 해서 내 말하지 않으려고 했는데, 글쎄 너 시집 보낼 돈 마련해야 한다고 그 좋아하는 술도 입에 대지 않으셔. 요즘은 야근 다음날에도 집에서 쉬지 않고 병원 식당일까지 하시거든."

"병원 식당일을?"

"그럼 넌 몰랐니? 매일같이 얼굴 대하면서……?"

"몰랐어, 정말……."

"글쎄 병난다고 식당일은 하지 말래도 막무가내야. 식당에서 식기 닦는 일을 거들어주면 식사비도 절약되고 돈도 조금 받는다고 말야. 너 시집갈 때 쓴다고 일 년 전부터 적금 붓고 있거든."

그녀의 말에 정아는 부끄러워서 더 이상 얼굴을 들지 못했다.

한 달도 남지 않은 한 해를 마무리하느라 사람들은 분주했다. 병원 로비에 있는 크리스마스 트리는 제 몸 가득히 꽃등을 달고 12월을 장식하고 있었다.

그 날은 정아가 야간 근무를 서는 날이었다. 저녁시간쯤에 응급실 문이 열리더니 병원 뒤편에 있는 갈비탕 집 주인이 들어왔다.

"김정아 씨가 누구세요? 갈비탕 배달 왔는데."

"전데요. 난 갈비탕 시킨 일이 없는데."

"김정아 씨 맞지요?"

"네."

"그럼 틀림없어요. 조금 전에 경비실 아저씨가 돈까지 다 지불하셨거든요."

그녀는 그제야 새아빠가 그것을 보냈다는 것을 알았다.

하얗게 김이 피어오르는 갈비탕에서 오랫동안 받아 본 적이 없는 정 같은 게 느껴졌다. 정아는 자리에서 일어나 정문 경비실 쪽으로 갔다. 그러나 경비실에는 아무도 없었고 출입문엔 '순찰중' 이라는 푯말이 매달려 있었다. 혹시나 하는 마음에 안을 들여다보았다. 칠이 다 벗겨진 나무 책상 위에는 찌그러진 냄비 하나가 놓여 있었다. 냄비 안에는 먹다 남은 라면 국물이 하얗게 김을 피워 내고 있었다. 그리고 그 옆에는 다 낡은 장갑 하나가 있었다. 오른쪽 짝을 잃어버린 새아빠의 장갑은 손가락 이음매의 실밥이 터져 있었고 조그만 단추까지 보기 흉하게 녹슬어 있었다. 그 순간 지난번에 엄마 앞에 내던져 놓고 온 장갑이 생각났다.

정아는 마음이 아파 차마 그냥 돌아설 수가 없었다. 그래서 책상 위에 있던 메모지에 살며시 자신의 마음을 적어 놓았다.

'아빠! 그 동안 버릇없이 행동해서 죄송해요.'

정문 경비실을 나설 때, 밤하늘에선 굵은 눈발이 날리기 시작했다. 한 해를 살아오느라 상처받은 사람들의 가슴 위로 그 해 첫눈이 소리 없이 내리고 있었다.

엄마의 미소

수아의 엄마와 아빠는 벽지 바르는 일을 했다. 그래서 옷에는 언제나 하얗게 풀이 묻어 있었다. 수아는 집에서 멀지 않은 곳에 있는 중학교에 다녔다. 그래서 친구들과 함께 집으로 오다가 혹시나 엄마 아빠를 만나게 될지도 모른다는 생각에 늘 불안해했다. 수아는 왠지 엄마 아빠의 초라한 모습을 친구들에게 보이기 싫었다.

그러던 어느 날이었다. 학교를 나와 집으로 돌아오는 시장 골목에서 수아는 멀리서 엄마 아빠가 걸어오는 것을 보았다. 수아는 몹시 당황했다. 여러 친구들이 함께 있었기 때문에 빨리 그 자리를 피하고 싶었다. 그렇다고 오던 길을 되돌아갈 수도 없는 노릇이었다.

"우리 콜라 마실래? 내가 사줄게."

수아는 서둘러 친구들을 데리고 가까이 있는 슈퍼로 들어갔다.

"우리 여기서 콜라 마시고 나가자."

친구들에게 그렇게 말하고는 수아는 계속 밖을 주시했다. 천천히 콜라를 마시며 엄마 아빠가 지나가기만을 기다렸다. 그런데 시간이 지나도 수아의 엄마 아빠는 보이지 않았다.

친구들 성화에 못 이겨 수아는 할 수 없이 슈퍼 밖으로 나왔다. 주변을 살펴보았지만 엄마 아빠는 보이지 않았다. 수아는 자신이 너무도 당황한 나머지 엄마 아빠가 슈퍼 앞을 지나가는 것조차 보지 못했다고 생각했다.

친구들과 헤어지고 나서 집으로 돌아온 수아는 엄마 얼굴을 보기가 너무 미안해서 대문 앞에 서서 잠시 망설였다. 그리고 결국 엄마의 얼굴도 보지 않고 자신의 방으로 들어갔다. 그런데 자꾸만 눈물이 나왔다. 그때 엄마가 방으로 들어왔다. 수아는 의자에 앉은 채 고개를 숙이고 있었다. 차마 엄마의 얼굴을 바라볼 수 없었다.

"수아야, 이거 한번 입어 봐. 하도 예뻐서 샀는데 크기가 맞을는지 모르겠다. 안 맞으면 다시 바꾸기로 했으니까 어서 입어 봐."

"나중에 입어 볼게."

"그러지 말고 어서 입어 봐."

엄마는 수아의 어깨를 감싸안으며 말했다. 그 순간 수아는 더 이상 참지 못하고 엄마 품에 안겨 울음을 터트리고 말았다.

엄마 곰은 수도 없이 무거운 돌을 들어보았지만, 가재는 한 마리도 보이지 않았습니다.
엄마 곰은 배고파 칭얼대는 아기 곰들을 차마 바라볼 수 없었습니다.
그래서 슬픈 눈으로 먼산만 바라보았습니다.

세월이 지나도 과거가 될 수 없는 사랑, 엄마의 사랑입니다.

"왜 그래 수아야? 너 학교에서 무슨 일 있었니?"

엄마는 놀란 듯이 물었지만 수아는 아무런 말도 할 수 없었다.

밤이 돼서야 수아는 엄마가 사다 준 옷을 입어 보았다. 그리고 옷 입은 모습을 엄마에게 보여주려고 안방으로 갔다. 그런데 수아가 방으로 들어서려는 순간 엄마의 나직한 목소리가 들려왔다.

"오늘 수아가 마음이 많이 상했나 봐요. 한참을 울더라구요."

"그랬어?"

"우리가 시장 길로 계속 가지 않고 샛길로 돌아오길 정말 잘했어요. 우리가 먼저 수아를 봤기에 망정이지……."

"한참 예민할 나인데 전들 창피하지 않았겠어?"

수아의 아빠는 길게 한숨을 내쉬며 말했다. 그 날 밤 수아는 잠을 이룰 수 없었다.

약속

아침에 눈을 뜨자마자 병수 씨는 미숙 씨에게 물었다.

"당신 지난밤에 꿈 꿨어? 자다가 소리를 지르더라구."

"내가 그랬어요?"

"그럼, 자다가 나까지 깼는걸."

"꿈에서 돌아가신 아버님을 봤어요."

"아버지를?"

"네. 지금도 너무 선명하게 생각나요. 내가 어느 허물어진 집으로 들어가려는데 멀리서 누군가 큰 소리로 나를 부르더라구요. 그래서 뒤돌아봤더니 아버님이 큰 나무 아래 다리가 깔린 채 누워 계시잖아요. 그래서 있는 힘을 다해 그 나무를 들어올리는데 흙더미가 갑자기 내 위로 무너져 내리는 거예요. 그 바람에 소리를 지르며 깬

거 같아요."

"그랬었구만……."

"아버님 얼굴이 많이 야위셨더라구요."

"아버지 산소에도 한번 다녀와야 하는데. 지난번 설 때도 회사 일 때문에 못 갔었잖아."

"저도 내내 그게 마음에 걸려요. 처음 아버님 돌아가셨을 때 많이 허전하더니 시간이 지나니까 이렇게 잊혀지네요."

"세상에 당신같이 착한 며느리도 없을 거야. 십 년 가까이 시아버지 병수발한다는 게 어디 쉬운 일인가. 대소변 다 받아내며 큰 불평 한 번 없었으니 말야."

"지금 와서 말이지만 처음엔 나도 힘들었지요. 그런데 그런 아버님이 가엾다는 생각이 들더라구요. 지금 생각하면 후회돼요. 더 잘 해드릴 수 있었는데……."

"아냐, 당신 같은 며느리 세상에 없어. 그게 얼마나 힘든 일인데."

"여보, 오늘 당신 일찍 퇴근하니까 아버님 산소에 갈까요? 오늘 늦게 출발해서 형님 댁에서 자고 내일 오면 되잖아요."

그들 부부는 아이들을 데리고 토요일 밤늦게 시골에 도착했다. 그리고 다음날 아침 일찍 산소에 다녀 와 그곳에서 하루를 보냈다.

일요일 오후 서울로 오는 길은 많은 차들로 붐볐다. 짜증이 날

만도 하련만 못 다한 일을 마무리하고 오는 것 같아 미숙 씨 부부의 마음은 가벼웠다. 그런데 집에 도착했을 때, 너무나 끔찍한 일이 그들을 기다리고 있었다.

늘 불안하던 윗집 축대가 그들의 집 위로 무너져 내린 것이다. 콘크리트 더미가 마치 괴물처럼 집의 절반을 흉측하게 삼키고 있었다. 미숙 씨는 그 순간 꿈에 본 시아버지를 생각했다. 꿈속에서 그녀가 허물어진 집으로 들어가려 할 때, 그곳으로 들어가지 못하도록 등뒤에서 자신을 애타게 부르던 시아버님의 모습……. 만약 그들 부부가 산소에 가지 않았더라면, 아니 꿈속에 아버님이 나타나지 않았다면 미숙 씨 가족은 꼼짝없이 참변을 당했을 것이다. 미숙 씨는 생각만 해도 온몸에 소름이 끼쳤다.

미숙 씨는 몇 년 전 시아버님이 임종하시기 전날 밤의 일을 기억한다. 시아버님은 두 눈 가득 눈물을 담은 채, 편지 한 장을 그녀의 손에 쥐어주었다.

"내가 너무 몹쓸 짓만 시키고 가서 미안하구나. 저 세상 가서도 절대로 잊지 않으마."

미숙 씨는 지금도 시아버님이 자신의 가족을 지켜준 거라고 굳게 믿고 있다. 꿈속에서 그녀가 허물어진 집으로 들어가려 할 때, 등뒤에서 부르던 그 소리가 어찌나 쩌렁쩌렁하던지……. 그녀는 시아버님 생전에 그렇게 큰 목소리를 들어 본 적이 없었기 때문에 더욱 생생하게 남아 있다. 왜냐하면 그녀의 시아버님은 평생을 말씀 한 번 못 하시는 장애인으로 살다 가신 분이기 때문이다. 그녀를 절대 잊지 않겠다고 한 그 약속을 지키려고 꿈속에서나마 큰 소리로 미숙 씨를 불렀던 거였다.

　사람은 떠나가도 사랑의 기억은 그 자리에 남아 끝끝내 그 사랑을 지켜준다.

소중한 희망

비 내리는 아침이었다. 화랑의 셔터를 열고 있는 병희에게 누군가 다가와 꾸벅 인사를 했다.

"안녕하세요? 얼마 전에 이 건물 삼층에 이사 온 사람이에요."

"아, 예. 며칠 전에 이사 오신 분이군요."

두 사람은 그렇게 첫 인사를 나눴다. 인사를 나눈 뒤 쓰레기 봉투를 들고 있던 3층집 여자는 우산을 펴고 건물 밖으로 걸어 나갔다. 그녀의 등뒤에는 아기가 잠들어 있었다.

병희가 셔터를 열고 화랑 안으로 들어설 때 그의 등뒤에서 작은 목소리가 들려왔다. 그 목소리의 주인공은 화랑 바로 앞 신호등에 서 있던 3층집 여자였다.

"괜찮으시다면 제가 길 건너까지 모셔다 드릴게요?"

여자는 쓰레기 봉투를 손에 든 채 말했다. 그녀 옆에는 앞을 보지 못하는 사람이 알루미늄 지팡이를 들고 서 있었다.

"맨날 건너는 곳이라 아주 익숙한 걸요. 누구신지 고맙습니다."

사내는 그렇게 말하며 활짝 웃고 있었다.

그때 신호등이 파란 불로 바뀌고 보행 신호음 소리가 들렸다. 사내는 더듬더듬 지팡이를 두들기며 길을 건너기 시작했다. 3층집 여자는 건물 쪽으로 몇 걸음 되돌아오다가 다시 발걸음을 돌려 급히 사내의 뒤를 따라갔다. 아무래도 마음이 놓이지 않았던 모양이었다.

화랑에 들어온 뒤로도 병희는 유리창을 통해 계속 그들의 모습을 지켜보았다. 사내가 길을 반쯤 건넜을 때, 파란 신호등이 깜박거리기 시작했다. 그러자 3층집 여자는 사내의 뒤로 더 바짝 다가섰다. 사내가 길을 채 건너기도 전에 신호등이 빨간 불로 바뀌었을 때, 그녀는 웃으면서 서 있는 차들을 향해 손을 들어 보였다. 그 사이 사내는 무사히 길을 건넜다.

병희는 건너편 신호등에 서 있는 3층집 여자를 계속 지켜보았다. 잠시 후 길을 건너오는 그녀를 바라보는 그의 입가엔 엷은 미소가 번졌다. 엄마의 등에 업혀 양팔을 내저으며 웃고 있는 아기의 얼굴이 보고 싶어서 병희는 출입문으로 바짝 다가섰다. 그 순간, 병희는 너무 놀라 화랑 안쪽으로 몸을 돌리고 말았다. 잠깐 동안 자신의 눈을 의심하지 않을 수 없었다. 하지만 그가 본 것이 확실하다면 아기의 모습은 너무 충격적이었다. 슬프게도 아기는 오른쪽 눈이 흉한 모습으로 감겨 있었던 것이다.

병희가 3층집 여자를 다시 본 것은 그로부터 이틀 뒤였다. 그가 우편함에서 우편물을 뒤적이는데 누군가 계단을 내려오는 소리가 들렸다. 바로 3층집 여자였다. 그런데 이상하게도 그녀는 아기를 등에 업은 채 한 쪽 눈을 꼭 감고 조심조심 계단을 내려오고 있었다.

어느 일요일 오후, 화랑 출입문이 열리더니 3층집 여자가 안으로 들어왔다. 그녀의 등에는 아기가 잠들어 있었다.

병희는 반갑게 그녀를 맞아 작업대 한쪽에 있는 의자로 안내했다. 그녀는 의자에 앉아서 벽에 걸린 그림들을 둘러보며 말했다.

"항상 밖에서만 그림을 봤는데 가까이서 보니까 더 좋네요."

"그러세요? 커피 한 잔 드릴까요?"

"아니오, 괜찮아요. 조금 전에 마셨거든요. 실은 한 가지 여쭤볼 게 있어서 왔어요."

그녀는 잠시 망설이더니 들고 있던 흰색 서류봉투에서 노트만 한 사진을 꺼냈다.

"저…… 우리 아기 얼굴을 그릴 수 있나 해서요. 얼마 전 돌 때 찍은 사진이거든요. 이걸 좀 그려 주셨으면 해서……."

그가 받아든 사진 속에서도 아기의 눈은 슬픈 모습을 하고 있었다.

"사진이 크고 선명해서 그리기 어렵진 않겠어요."

"실은 한 가지 더 부탁드릴 게 있거든요. 어려우시겠지만 제 아기의 오른쪽 눈을 아프지 않게 그려주실 수 있나요?"

"그럼요. 그릴 수 있지요."

병희는 갑작스런 그녀의 물음에 당황했다. 그것을 내색하지 않으려고 웃었지만, 어색하게 보였을 그 웃음이 오히려 그녀에게 미안했다.

"벽에 걸린 아기 돌 사진을 볼 때마다 마음이 너무 아팠거든요. 말은 안 하지만 아기 아빠도 그랬을 거예요."

"네……."

"그 그림이 지금의 모습은 아니지만, 이 아이가 더 컸을 때는 틀림없이 두 눈으로 세상을 살아갈 수 있을 거예요. 하나님께 늘 그렇게 기도하거든요."

그렇게 말하는 그녀의 표정은 조금도 슬퍼 보이지 않았다.

병희는 그 날부터 며칠 동안 힘겹게 아기의 그림을 그렸다. 아기의 오른쪽 눈을 그리는 게 무엇보다도 어려웠다. 다른 부분은 만족스럽게 그리고 나서도 오른쪽 눈동자에 점 하나 찍는 일 때문에 세 번을 다시 그려야 했다. 세 번째 그림을 그릴 때, 병희는 문득 자신이 그린 작은 눈동자 하나가 엄마와 아기의 소중한 희망이 될지도 모른다는 생각이 들었다. 왠지 손끝이 떨려왔다. 그리고 숨을 멈추고 나서 아기의 눈동자에 마지막 점 하나를 찍는 순간, 그의 눈에는 눈물이 맺혔다. 그때처럼 진지한 마음으로 그림을 그려 본 적이 없었다. 그림을 그리는 동안 병희는 아기에게 이렇게 말했다.

"아가야, 엄마의 사랑을 믿어. 사랑을 믿는 한 너에게는 희망이 있는 거야."

병희가 3층 여자의 집으로 놀러 간 것은 그로부터 몇 달이 지난 뒤였다. 좁은 거실의 한쪽 벽에는 그가 그려준 아기 그림이 걸려 있었다. 아기 그림을 보며 3층집 여자는 평화로운 얼굴로 그에게 이렇게 말했다.

"아기가 더 크면 아기에게 내 눈을 이식해줄 거예요. 그러면 저 그림처럼 내 아기도 예쁜 눈을 가질 수 있겠지요? 그래서 저는 지금부터 한 쪽 눈으로 살아가는 연습을 하고 있어요. 한 쪽 눈으로 밥을 먹고, 계단을 내려오고, 또 길을 걸으면서……. 그래서 얼마나 기쁜지 몰라요."

병희는 그제야 3층집 여자가 눈을 꼭 감고 계단을 내려왔던 이유를 알 수 있었다.

사람은 누구에게나 아픔이 있다. 그 아픔을 어떻게 이겨내느냐에 따라 우리의 삶은 힘들 수도 있고 아름다워질 수도 있다. 빛은 어둠 속에서 더 찾기가 쉽다.

먼 불빛

"교장 선생님, 한 번만 더 기회를 주세요. 정말 다시는 이런 일이 없도록 하겠습니다. 자식 놈도 다신 안 그러겠다고 맹세했어요. 현태 이놈아, 어서 와서 교장 선생님께 빌어, 어서……."

"늦었습니다. 이제 더 이상 어쩔 도리가 없어요."

교장은 고개를 돌린 채 창 밖을 바라보고 있었다.

"앞 길이 구만리 같은 놈이 학교에서까지 쫓겨나면 갈 때가 어디 있겠습니까?"

교장실 바닥에 무릎까지 꿇은 현태의 엄마를 두고 교장은 그대로 나가버렸다. 이번엔 현태 아버지가 교감에게 매달렸다.

"교감 선생님, 퇴학만은 거둬주세요. 자식이라곤 저놈 하나밖에 없습니다."

"형사 입건되지 않은 것만으로도 천만 다행입니다. 피해 학생 부모가 마음을 돌렸기에 망정이지 벌써 이런 일이 세 번째 아닙니까? 이미 징계위원회에서 결정된 일이니 저희로서도 어쩔 도리가 없어요. 이렇게 할 수밖에 없는 저희를 용서하세요."

형 집행을 기다리는 죄수처럼 현태 아버지는 주눅 든 얼굴로 거듭 거듭 용서를 빌었다. 하지만 교감마저 머리를 가로 저으며 나가 버렸다. 그는 아무 말 없이 눈물을 훔쳤다. 그리고 실신한 사람처럼 바닥에 주저앉은 아내를 부축해 쓸쓸한 교정을 걸어 나왔다.

현태의 엄마는 그 날 이후 웃음을 잃었다. 아버지 또한 현태에 대한 괴로움을 술로 달래며 하루하루 만신창이가 되어갔다. 현태는 암울한 집안 분위기를 견디지 못하고 열흘 만에 집을 나와버렸다. 그리고 자신과 비슷한 처지의 아이들과 봉천동에 있는 조그만 방 하나에서 벌레처럼 뒤섞이며 하루하루를 살아갔다. 돈이 필요할 때면 남에 물건에 손을 대기도 했고, 지나가는 학생들에게 금품을 협박하기도 했다. 그러던 어느 날 현태는 또다시 싸움에 휘말렸고 반 년 만에 부모를 다시 만난 건 경찰서에서였다.

피해자의 젊은 부모 앞에서 그의 엄마는 또다시 무릎을 꿇다시피 애원했다. 결국 많은 합의금을 주고 현태는 간신히 구속을 면할 수 있었다. 그 날이 현태가 여섯 번째로 경찰서를 걸어 나온 날이었다.

그로부터 몇 달 뒤, 현태의 아버지가 멀지 않은 친척에게 사기를 당해 집안 사정은 말이 아니었다. 심지어는 아버지가 장사하던 가게마저 모두 다른 사람들 손으로 넘어가버렸다. 그 정황에도 현태는 마음을 잡지 못했다. 끝 모를 현태의 방탕함은 감당하기 힘들 만큼 이리저리 그의 멱살을 끌고 다녔다. 뒤숭숭한 집안 분위기가 싫어 밤늦도록 친구들과 거리를 기웃거렸고 집에도 잘 들어가지 않았다. 그런 그에게 더 이상 관여할 수 없을 만큼 그의 엄마와 아버지는 지쳐 있었다. 한 달에 몇 번 집으로 들어가면 현태의 손을 잡고 엄마는 힘없이 애원했다.

"이놈아, 이제 마음 좀 잡아야지. 어쩌자고 이렇게 사니? 에미로서 할 말은 아니지만, 너 그러다 가서는 안 될 곳까지 가면 어쩌려고……. 그러면 네 인생은 끝나는 거야. 이제 또 사고 치면 꼼짝없이 전과자 되는 거야. 아버지는 더 이상 합의금 마련할 힘도 없어."

"아버진 아직도 집에 안 들어와?"

"생활비라도 벌어야 한다고 지금 지방에 계셔. 친구분 도매상에서 일하시는데 일이 아주 험한가 봐. 빚쟁이 때문에 집에도 한 번 못 오신 지 벌써 두 달째야."

말하다 말고 그녀는 현태를 부둥켜안고는 소리내어 울었다.

하지만 현태는 세상에 두려운 것이 아무것도 없었다. 같이 어울리는 친구들 중에 이미 여러 명이 교도소를 드나들고 있었다. 그러나 엄마의 눈물이 마음에 걸려 현태는 그 날 집을 나갈 수 없었다.

다음날 새벽에 걸려온 전화는 현태를 몹시 놀라게 했다.

"거기, 김재천 씨 댁 맞지요?"

"네, 그런데요. 누구세요?"

"여기 경찰선데 지금 바로 나와주셔야겠습니다."

"저, 무슨 일로 그러시는데요?"

"자세한 건 나오시면 말씀드리겠지만, 김재천 씨가 지금 절도 혐의로 이곳에 있습니다."

현태가 엄마와 함께 경찰서에 갔을 때 그의 아버지는 몹시 지친 모습으로 의자에 앉아 있었다. 덥수룩한 수염에 야윈 얼굴, 손에는 수갑까지 굳게 채워져 있었다. 그것은 현태가 보았던 아버지의 가장 초라한 모습이었다. 아버지는 고개를 숙이고 아들을 바라보지 못했다.

"이런 데까지 아이는 왜 데리고 왔어?"

아버지는 안절부절못하는 그의 엄마에게 핀잔하듯 말했다.

현태의 아버지는 절도미수죄로 결국 감옥살이를 하게 됐다. 빚쟁이들에게 시달리는 가족 생각에 비가 내리는 새벽, 마산에 있는 한 귀금속 가게로 들어가려다가 그만 잡히고 만 것이다.

그 후 그의 아버지는 짧지 않은 기간 동안 옥살이를 했다. 현태가 엄마와 함께 면회를 갈 때마다 아버지는 늘 말씀이 없으셨다. 다만 면회를 마치고 돌아설 때면 고개를 숙인 채 조용히 현태에게 말했다.

"아비로서 자식에게 이런 꼴 보여서 죄스럽구나. 사는 게 너무 힘들어 아버지가 순간적으로 잘못을 저질렀다. 아버지가 이 모양이니 넌들 바른 길로 갈 수 있었겠냐? 아버지를 용서해라."

그 후로 현태는 엄마보다 더 자주 아버지 면회를 왔다. 면회시간에 아버지를 만나면 꼭 하고 싶은 말이 있었다. 하지만 차마 하지 못한 말들이 가슴속 깊이 스며들어 번번이 눈물이 되어 흘러내렸다. 몇 달 후 현태의 아버지는 모진 고생을 마치고 교도소를 나왔다. 휘청거리는 아버지 뒤에서 현태는 말 없이 걸었다. 그때 엄마가 다가와 현태의 손을 잡았다.

"너는 꿈에라도 이런 곳을 기웃거리면 안 된다. 교도소라는 곳이 사람을 얼마나 처참하게 만드는 곳인지 너도 봤지? 순간적인 실수로 다들 저렇게 갇혀 지내는 거야."

말을 다 맺기도 전에 그녀는 설움에 복받쳐 울음을 터트렸다.

"이놈아, 앞에 걸어가는 아빠 좀 봐. 너 때문에 니 아버지 걸음도 잘 못 걸으시잖아. 너는 죽었다 깨어나도 니 아버지 마음 모를 거야."

현태 엄마는 잠시 길에 서서 손수건으로 눈물을 닦았다.

"네 아버진 도둑질 같은 거 하지 않았어. 너 때문에 일부러 그러신 거야. 교도소가 사람 있을 곳이 아니라는 것을 너에게 보여주려고……. 생떼 같은 네놈, 거기서 젊은 시절 다 보낼까 봐서……."

현태는 믿고 싶지 않은 사실에 걸을 수 없을 만큼 정신이 아득해졌다. 멀리서 걸어가는 아버지의 야윈 어깨 위로 가을 햇살이 힘겹게 매달려 있었다.

그 날 오후의 충격을 현태는 결코 잊지 못했다. 그의 아버지는 물건을 훔치려고 귀금속 가게에 들어간 게 아니었다. 아들을 교도소에 가지 않게 하려고, 그렇게라도 해서 먼저 교도소로 들어간 거였다. 아버지의 희생으로 비로소 현태는 다시 태어날 수 있었다. 그 후 현태는 검정고시 학원을 다녀 고등학교 졸업 자격을 얻었다. 그리고 다시 1년 뒤에는 인천에 있는 전문대학에 입학하게 되었다.

아버지는 아들을 위해 스스로 어둠이 되었다. 빛을 거부했던 아들의 어둠 속으로 들어와 끝내는 그르치고야 말 그의 인생 앞에 불빛 하나를 밝혀주었다.

어둔 밤바다와 같은 인생에서 표류할 때마다 두고두고 바라볼 먼 불빛. 아버지, 아버지…….

폭포를 오르기 위해 연어는 죽을 힘을 다했습니다.
햇살이 찢어지도록 수도 없이 거센 물살과 싸워야 했습니다.

꿈을 위해 현실과 치열하게 싸우는 것만이 강한 것은 아닙니다.
지금 있는 곳에서 행복할 수 있다면, 우리는 충분히 강합니다.
현재 속엔 꿈보다 더 많은 꿈이 있습니다.

엄마의 눈물

명희는 자신의 생이 얼마 남지 않았다는 것을 예감하고 있었다. 그래서 그녀의 얼굴은 깊은 절망으로 가득했다. 수년간 딸을 간호하며 그녀의 엄마 또한 몸과 마음이 만신창이가 되어 있었다. 치자 꽃같이 하얀 얼굴엔 새까만 기미가 개미 떼처럼 앉아 있었다.

그러던 어느 날 그녀의 엄마마저 쓰러지고 말았다. 밤낮으로 딸을 돌보는 사이에 지병이 극도로 악화되고 만 것이다. 병원 측의 배려로 엄마는 명희와 같은 병실에 입원할 수 있었다.

"나 때문에 엄마까지 아파서 어떻게 해?"

눈에 가득 눈물을 글썽이며 명희가 말했다.

"이게 왜 네 탓이겠냐? 다 내 팔자가 사나워서 그런 거지. 제 자식 몹쓸 고생시키면서 뭐 잘난 게 있다고 나까지 이러는지 모르겠다. 하긴 내 몸도 오래 못 갈 줄 알았어."

명희의 엄마는 병실 벽 쪽으로 몸을 돌리며 신음처럼 긴 한숨을 토해냈다.

"나도 이렇게 견디고 있잖아, 엄마."

"너는 문제없이 이겨낼 거야. 희망이 없는 건 엄마야. 의사도 영 자신이 없는 모양이더라."

명희와 그녀의 엄마는 여러 달 동안 같은 병실에 입원해 있었다. 엄마는 명희보다 더 창백해진 얼굴로 처연히 딸의 얼굴을 바라보곤 했다. 그러던 어느 날 새벽, 명희의 엄마는 고통스럽게 신음했다. 급하게 달려 온 의사와 간호사가 이동 침대에 그녀를 실어 병실 밖으로 나갔다. 명희의 엄마는 그 후 중환자실로 옮겨졌다. 그리고 그곳에서 닷새를 이겨내지 못하고 끝내 눈을 감고 말았다.

명희가 그 사실을 알게 된 것은 그로부터 얼마 후였다. 엄마가 떠난 후, 명희는 간혹 울음 섞인 목소리로 동생 수희에게 물었다.

"엄마가 하늘에서 나를 기다리고 있겠지?"

수희는 언니의 물음에 아무런 대답도 하지 못하고 눈물만 글썽였다.

밤이 오면 명희는 병실 유리창으로 밤하늘을 바라보았다. 별을 바라보던 그녀의 눈물 속엔 엄마의 얼굴이 가득했다. 시들어가는 명희의 눈은 하루하루 별빛을 닮아갔다.

그리고 그 해 첫눈이 내리던 날, 펑펑 쏟아지는 함박눈을 맞으며 명희마저 세상을 떠나버리고 말았다. 그녀는 마지막 신음을 하며 떨리는 목소리로 수희에게 물었다.

"엄마를 꼭 다시 만날 수 있겠지?"

"응, 언니……. 엄마를 다시 만날 수 있을 거야. 그곳에 가면 지금처럼 아프지 말아야 돼. 엄마 다시 만나서 꼭 행복하게 살아야 해. 알았지?"

수희는 목이 메여와 더 이상 아무런 말도 할 수 없었다. 그런데 수희의 말에 고개를 끄덕이던 명희의 얼굴엔 그때까지 볼 수 없었던 평화로움이 감돌고 있었다.

명희가 가족의 곁을 떠나고 나서 오랜 시간이 지나도록 명희 엄마의 눈은 늘 젖어 있었다.

"엄마, 그게 잘한 일이었을까?"

"뭐가?"

"언니가 마지막 한 달을 보내며 얼마나 마음 아파했는데……. 엄마가 정말 죽은 줄 알고, 언니는 매일같이 울었단 말야."

"그랬을 테지. 가엾은 것……."

"엄마 잃은 아픔 때문에 언니가 더 일찍 목숨을 놓았을지도 모른다는 생각이 들 때도 있어. 그 생각만 하면 정말 견딜 수가 없어, 엄마."

"엄마도 그 생각만 하면 마음 아파. 하지만 언니는 어차피 떠날 사람이었잖아. 죽음으로 떨고 있는 네 언니를 그렇게라도 위로해주고 싶었어. 죽음은 누구에게나 공평한 거라구 말야."

"그래도 엄마가 곁에 있었으면 언니가 더 편히 눈감았을지도 모르잖아."

"엄마는 그렇게 생각하지 않아. 죽음을 앞에 둔 네 언니를 누군들 위로할 수 있겠니? 차라리 명희에게 희망을 주고 싶어서 그랬던 거야. 이 세상을 떠난 후에도 엄마를 다시 만날 수 있다는 희망이 네 언니에겐 더없이 큰 위안이 됐을 테니까."

그렇게 말하는 명희 엄마의 얼굴 위로 눈물이 흘러내렸다.

흰눈이 내리는 세상의 밤은 평화로웠다. 수희는 어두운 방에 가만히 누워 있었다. 새벽은 어느새 푸른 옷을 입고 우울한 얼굴로 그녀를 찾아왔다. 벽에 걸린 명희 사진을 바라보다가 수희는 견딜 수 없는 그리움에 창문을 열었다. 바로 그때 명희는 창틀에 앉아 하얀 눈송이가 되어 그녀를 바라보고 있었다.

'언니는 떠났다. 하지만 내가 깊은 숨을 쉴 때마다 언니는 나와 함께 있을 것이다. 기나긴 세월로도 지워지지 않을 슬프고 아름다운 모습으로……'

아름다운 이별

아주 추운 겨울이었다. 아빠는 온종일 슬픈 얼굴을 하고 있었다. 그 날 아빠는 할머니의 담당의사로부터 할머니가 겨울을 넘기지 못할 거라는 말을 들었다.

　몇 달 동안 병원 생활을 하고 집으로 돌아온 할머니는 거동하기 가 힘들었다. 그래서 아빠와 엄마가 매일 할머니의 대소변을 받아냈 다.

　"내가 아무래도 이번 겨울을 넘기지 못할 거 같구나."

　할머니는 가끔 아빠의 손을 잡고 그렇게 말했다. 할머니가 겨울 을 넘기지 못할 거라는 의사의 말을 아무도 말한 적이 없었지만 할 머니는 당신이 떠나갈 시간을 알고 있었다.

　할머니는 주변의 아주 사소한 변화조차 모를 만큼 날로 쇠약해져 갔다.

그 해 겨울은 유난히 눈이 많이 내렸다. 할머니는 내리는 눈을 바라보며 눈물을 흘리기도 했다. 가끔씩 의식을 잃은 적은 있었지만, 할머니는 기어코 그 해 겨울을 이겨냈다. 그리고 6월의 어느 화창한 날, 할머니는 세상에서 가장 긴 여행을 떠나고 말았다. 할머니는 병원에서 말한 것보다 4개월이나 더 사셨다.

할머니의 장례식을 마치고 나서 엄마는 가족들의 겨울옷을 장롱 속에 넣고 있었다.

"엄마, 우리가 이런 거, 할머니가 정말 몰랐을까?"

"모르셨을 거야. 몇 달을 마루에도 한 번 못 나오시고 누워만 계셨던 분이 뭘 아셨겠어? 나중엔 엄마 얼굴도 잘 못 알아보셨는데……"

"하긴 그래."

"그런데 네 아버지가 걱정이다. 저렇게 상심하시다 병나시겠어."

우리 가족은 6월의 초여름에도 할머니 방에 들어갈 때면 늘 겨울 옷을 입었다. 어떤 날은 장갑을 끼고 목도리까지 하고서 할머니 방에 들어간 적도 있다. 심지어 나는 할머니 손을 잡기 전에 차가운 얼음을 만져서 아직도 겨울이어서 손이 차갑다는 것을 느끼게 해드렸다. 그 해 겨울을 넘기지 못할 거라던 할머니에게 우리는 그렇게 해서라도 봄이 오는 것을 막아 드리고 싶었다.

그렇게 해서 우리 가족은 그토록 소중한 4개월을 할머니와 함께 보낼 수 있었다.

시간은 모든 것을 데려가 버린다. 하지만 할머니에 대한 가족들의 사랑이 할머니와 같이 있는 시간을 늘려줄 수 있다는 사실을 알았다.

제비꽃 화분

엄마가 돌아가신 후로 순미는 메마른 풀꽃처럼 시들어 갔다. 엄마와 둘이 살던 집에 틀어박혀 순미는 슬픔으로 하루하루를 보냈다.

어느 날 아침 일찍 그녀의 친구가 찾아왔다.

"왜 전화도 안 받아? 그저께부터 몇 번을 걸었는데."

"……."

순미는 아무 말도 하지 않았다.

"오늘 어머니 산소에 가려고 왔어. 괜찮겠지?"

엄마에게 가는 동안 순미는 뿌연 눈으로 창 밖만 바라보았다.

그녀의 엄마는 산 속에 말없이 누워 있었다. 순미는 엄마 옆에 기대어 눈을 감았다. 점점이 박히는 눈물……. 무심코 바라본 엄마

산소 위엔 제비꽃 두 송이가 바람에 얼굴을 흔들고 있었다. 순미는 가까이 다가가 꽃의 얼굴을 들여다보았다. 꽃은 어느새 엄마 얼굴이 되었다. 엄마의 영혼……. 순미는 꽃잎에 살며시 입을 맞췄다.

순미는 무성해진 잡초들을 뽑아내고 한참을 말없이 앉아 있었다. 그러다 다시 바라본 산소 위엔 제비꽃이 보이지 않았다. 그녀는 친구가 잡초와 함께 뽑아버린 것이라고 생각했다. 제비꽃까지 뽑아버린 친구가 너무 원망스러워 집으로 오는 길 내내 순미는 아무런 말도 하지 않았다.

새벽부터 비가 내렸다. 초인종 소리에 나가 보니 주황색 화분 하나가 편지와 함께 놓여 있었다.

'어머니 산소에 피어 있던 꽃이야. 어머니 영혼이 스며 있는 제비꽃……. 그 날 비닐 봉지에 담아 와 화분에 옮겨 심었어. 첫날은 긴 목을 땅에 숙이고 애를 태우더니, 이튿날은 고개를 들어줘서 얼마나 기뻤는지 몰라. 꽃잎은 다 떨어졌지만 그 자리마다 여러 개의 씨앗 주머니가 생겼어. 해마다 씨앗을 받을 수 있으니까 꽃은 또 피어날 거야. 이 꽃이 살아 있는 한 너는 살아 계신 엄마와 함께 있는 거야.'

순미 자신도 모르게 눈물이 흘러내렸다. 그리고 엄마가 자신의 손을 잡고 마지막으로 했던 말을 떠올렸다.

"엄마가 떠나도 너무 슬퍼하지 마. 엄마를 생각할 때마다 엄마는 늘 네 곁에 있는 거야. 엄마의 사랑은 강물 같은 거야. 흐르는 소리는 들리지 않아도 여전히 흘러가는 강물……."

순미의 엄마는 죽어서도 차마 눈을 감지 못하고 순미의 아픈 가슴을 쓰다듬으며 제비꽃으로 피어났다.

등불을 켜는 손

기철이 할머니는 참 좋은 분이셨다. 젊어서 남편을 잃으시고 시장에서 생선 장사를 하시며 얼굴의 꽃잎을 다 지우셨다. 할머닌 10년 전부터 기철이가 대학생이 된 지금까지 한 달에 두 번 고아원을 방문하셨다. 고아원에 가기 전날이면 그의 할머니와 엄마는 몹시 분주했다. 아이들에게 먹일 고기를 양념에 재두었고 과일과 다른 음식들도 장만하셨다. 그래서 고아원의 아이들은 기철이 할머니를 고기 할머니라고 불렀다.

그러던 어느 날, 기철이 할머니는 시장에서 장사를 하다가 쓰러지셨다. 얼마 후 건강을 회복하셨지만 할머니의 모습은 예전과 달랐다. 웃음도 없어졌고 늘 우울한 얼굴로 방안에만 계셨다. 물론 시장 일도 그만두셨고 그토록 좋아했던 고아원에도 가시지 않았다.

기철이 할머니는 하루가 다르게 얼굴이 수척해지셨다. 그러더니 결국 치매까지 앓으셨다.

하루는 밤늦도록 아무 연락도 없이 돌아오지 않으셨다. 파출소로부터 전화가 걸려 온 것은 거의 자정 무렵이었다. 기철이 할머니는 버스로 한 정거장 거리에 있는 자신의 집도 찾아오지 못할 만큼 총기를 잃어가고 계셨다.

어떤 날은 생전 안 드시던 술을 마시고는 잔뜩 취하셔서 소리까지 지르셨다. 심지어는 물건을 부수기까지 하셨다. 병원에 모시고 가려고 기철이 아버지가 몇 번이고 설득했지만 할머니는 막무가내셨다.

그의 아버지가 할머니를 끌어안고 눈물로 간곡히 부탁했지만 오히려 주먹으로 아버지의 등을 때리며 소리만 지르셨다.

그 후 기철이 할머니의 상태는 점점 심해졌다. 그토록 극진히 공경해왔던 기철이 부모님도 할머니에게 많이 지친 것 같았다. 기철이 할머니가 밖에 나갔다가 신발까지 잃어버리고 맨발로 들어오시던 날, 그의 아버지는 처음으로 언짢은 표정까지 보였다.

그러던 어느 날 할머니 친구 한 분이 멀리서 놀러 오셨다. 자식도 없이 혼자 사는 그 할머니는 기철의 할머니와 가장 친한 분이셨다. 그 날 할머니 친구는 기철이네 집에서 주무셨다.

할머니 두 분이 도란도란 말하는 소리를 들으며 기철이는 잠이 들었다. 그런데 잠결에 들려온 할머니의 울음소리에 잠을 깼다. 기철이는 그대로 눈을 감고 있었다.

"이제, 아이들 속 그만 썩여야지? 예전에 그 총기는 다 어디 갔어?"

친구 분은 기철이 할머니를 달래듯 말했다. 기철이 할머니는 그 말에 한동안 말이 없으셨다. 잠시 후 말소리가 들려왔다.

"사실은 나, 정신 멀쩡해. 마음이 아파서 그러는 거야. 가야 할 날이 이제 얼마 남지 않았으니까 자식들하고 정 떼고 가려구. 나야 홀쩍 가버리면 그만이지만 자식들 마음은 오죽이나 아프겠어."

"그랬구먼. 허긴 자식들 두고 가는 게 제일로 마음 아프겠지. 그래도 아이들 생각해서 적당히 해둬. 정 떼는 것도 좋지만 신발까지 벗어버리고 집에 들어오진 말구."

"그건 일부러 그런 건 아냐. 친구 집에 갔다 오는데 시장 한 구석에서 노인네가 자고 있잖아. 다 떨어진 신발을 신고 있는 게 너무 안돼 보이더라구. 그래서 신발을 벗어 그 사람 머리 맡에 두고 왔지. 가진 돈도 없고 해서 말야……."

기철이는 왠지 울음이 터져 나올 것만 같았다.

아침저녁으로 뉴스를 통해, 우리는 흉악한 사람들의 이야기를 듣는다. 그럼에도 여전히 세상엔 희망이 남아 있다고 믿는 건 기철이 할머니와 같은 분이 함께 계시기 때문이다. 할머니는 우리에게 다른 사람을 위해 흘리는 눈물이 얼마나 고귀한 것인가를 가르쳐 주신다.

인생의 겨울 길을 걸을 때마다 어쩌면 우리는 누군가 먼저 치워 놓은 눈길을 걸어가고 있는지도 모른다. 바로 지금…….

우리는 영원히 헤어지지 않는다

꽃이 피어나 한 시절 제 몫을 아름답게 마치고 스러질 무렵, 정화는 그들의 곁을 떠나갔다. 그녀의 어린 딸 정화가 하늘나라로 간 지 1년이 지났지만 정화를 그리워했던 시간은 10년도 더 지나버린 것 같았다.

정화가 떠나간 후 그녀는 거의 문밖 출입을 하지 않았다. 길에서 정화만한 아이를 보기만 해도 그녀의 몸과 마음은 무너져내렸다. 그래서 생활에 필요한 물건들은 그녀의 남편이 모두 사 가지고 들어왔다.

그녀의 하루 일과 중 가장 의미 있는 시간은 정화의 모습을 담아 놓은 비디오를 보는 것이었다. 그녀는 언제나 넋을 잃고 정화가 살아 움직이는 모습을 바라보았다. 이제 막 걸음마를 배운 정화가 딸기색 치마를 입고 풀밭을 걷는 모습은 보고 또 보아도 천사의 모습이었다. 그런 정화를 바라보며 끌어안은 베개는 매일같이 그녀의 눈물을 먹고 살았다.

그녀는 남편 앞에서는 그 테이프를 보지 않았다. 남편은 그녀가 정화를 보며 우는 것을 싫어했다. 그녀의 남편은 정화를 하루 빨리 잊으려는 듯 자신의 일에만 몰두했다. 어느 때 그녀는 그런 남편이 야속하기까지 했다.

정화의 생일날 아침, 그녀는 정화가 좋아했던 음식들을 준비했다. 정화 생일인지도 모르고 작업실로 가는 남편에게 케이크라도 사 오라고 말하고 싶었지만 차마 입이 떨어지지 않았다.

그녀는 문득 정화의 노래가 듣고 싶었다. 그런데 아무리 찾아봐도 정화의 노래가 담긴 테이프가 보이지 않았다. 녹음기에 끼워둔 채로 오랫동안 빼본 적이 없는 테이프가 없어질 리가 없었다.

그녀는 정신나간 사람처럼 이곳 저곳을 찾아보았다. 절대로 잃어버려서는 안 되는 것이기에 그녀의 눈에선 눈물부터 흘러내렸다. 세 시간이 넘도록 테이프를 찾다가 그녀는 방바닥에 주저앉아 소리내어 울고 말았다.

남편이 돌아왔다. 그녀는 설움에 복받쳐 현관에 서 있는 남편을 끌어안았다.

"왜 그래, 정인아. 무슨 일이야?"

"정화 노래 테이프가 없어졌어. 아무리 찾아봐도 없어."

"응, 그거? 내가 말을 안 했구나. 내가 가지고 나갔어. 자, 여기 있잖아."

남편은 주머니에서 정화의 노래 테이프를 꺼냈다. 그것을 받아 들고 그녀는 다시 울음을 터트렸다.

"정화가 너무 보고 싶어 견딜 수가 없어⋯⋯."

"정인아, 이거 받아."

남편은 하얀 종이에 싸인 물건을 그녀에게 건네주었다. 고개 숙인 남편의 눈에도 눈물이 가득 고여 있었다. 포장지를 벗겨내고 상자의 덮개를 여는 순간, 그녀는 너무 놀라지 않을 수 없었다. 상자 안에는 정화가 있었다. 정화와 똑같이 생긴 밀랍 인형이었다.

활짝 웃고 있는 그 인형은 눈이며 코, 입, 얼굴 생김새까지 정화를 꼭 닮았다. 정화는 다섯 살 때 생일 선물로 받은 노란색 원피스를 입고 있었다. 그리고 머리엔 빨간색 머리 끈이 가지런히 묶여 있었다. 그녀는 너무나 감격스러워 인형을 꼭 끌어안았다.

그녀가 정화에게 입을 맞췄을 때, 신기하게도 정화의 아랫입술이 스위치처럼 안으로 들어가며 정화의 노랫소리가 흘러나왔다. 정화가 부른 생일축하 노래였다. 숨 넘어 갈듯 깔깔대는 정화의 웃음소리도 들려왔다.

"작업실에 정화 사진 갖다 놓고 여러 달 동안 만든 거야. 사진이라서 조각하기가 힘들었어. 열 번은 망쳤나 봐. 우리 정화를 많이 닮

왔지?"

그녀는 목이 메어 아무런 말도 할 수 없었다.

"정인아, 정화를 생각해서라도 이제 우리 마음 아파하지 말자.
우리는 정화 하나를 잃었지만, 정화는 엄마하고 아빠 둘을 잃었잖
아⋯⋯."

밀랍 인형의 받침대에는 조그맣게 글자가 새겨져 있었다.

'정화야, 우리는 영원히 헤어지지 않는 거야.'

그 날 밤 그녀는 정화를 식탁으로 데려가 의자에 앉혔다. 그리
고 남편이 사온 정화의 생일 케이크 초에 불을 붙였다. 촛불은 그녀
가 껐지만 노래는 정화가 불렀다.

그녀는 그 날 밤 내내 정화를 꼭 끌어안고 잤다. 그리고 정화가
떠난 후 처음으로 정화의 꿈을 꾸지 않았다.

아빠의 눈물

명지가 열여섯 살 때였다. 명지의 가족은 여름 휴가를 보내기 위해 경포대로 갔다. 바다의 풍경은 너무나 아름다웠다. 물 위를 비행하는 갈매기들의 모습이 은빛으로 출렁거렸고, 바다 끝 수평선은 태고의 신비를 간직한 채 푸른 빛으로 넘실거렸다.

그곳에서 아름다운 나흘을 보내고 마음은 그대로 남겨둔 채 명지네는 경포대를 떠나왔다.

그런데 집으로 돌아오던 길에 폭우가 쏟아지는 고속도로를 달리다가 큰 사고를 당하고 말았다. 그 사고로 명지는 다리를 심하게 다쳤다. 그 날 이후로 명지는 두 개의 보조다리 없이는 몇 걸음도 걸을 수 없게 되었다. 불행은 명지 하나에게만 그치지 않았다. 명지보다는 덜했지만 명지의 아빠도 보조다리 없이는 걸을 수가 없었다.

그 후로도 아내의 도움을 받으며 명지의 아빠는 하시던 약국을 계속 경영했다.

명지는 사춘기를 보내며 죽고 싶을 정도의 열등감에 시달렸다. 명지가 밥도 먹지 않고 책상에 엎드려 울고 있을 때, 위안이 되어준 사람은 오직 그녀의 아빠뿐이었다. 물론 그녀의 엄마도 늘 위로와 격려를 보내주었지만, 엄마가 해주는 위로는 받아들여지지 않을 때가 많았다. 정신까지 절룩거리는 명지에게는 정상인인 엄마가 아무리 큰사랑으로도 끌어안을 수 없는 어떤 것이 있었다. 하지만 명지 아빠는 달랐다. 누구보다도 명지의 마음을 잘 알고 있었다. 명지가 느끼는 아픔을 똑같이 느끼고 있었기 때문에 차마 말할 수 없는 명지의 아픔까지도 아빠는 낱낱이 알고 있었다.

길을 다닐 때 명지는 사람들의 동정 어린 눈빛이 싫어서 늘 땅만 쳐다보며 다녔다. 어느 겨울엔가는 얼어붙은 땅 위를 걷다가 미끄러져서 얼굴이 온통 까진 채 아빠의 약국으로 간 적도 있었다. 명지는 아빠의 품에 안겨서 한없이 울었다.

"아빠, 나는 다른 사람들이 나를 불쌍한 눈으로 보는 게 너무 싫어."

"명지야, 아빠도 처음엔 그렇게 생각했어. 하지만 그들의 눈빛은 단순한 연민이 아니라 인간만이 가질 수 있는 사랑 같은 거야. 그걸 알고 나서 아빠는 오히려 그들의 눈빛이 고맙기까지 한걸."

명지 아빠는 조심스럽게 명지 얼굴에 묻은 피를 닦아내고 약을

발라 주었다. 그의 붉은 눈엔 눈물이 가득 고여 있었다.

"아빠는 우리 명지 마음을 이해할 수 있어. 그런데 아빠 말 좀 잘 들어 봐. 물론 아빠나 명지가 어쩌면 그들보다 더 불행할지도 몰라. 그렇지만 우리의 불행을 통해서 다른 사람들이 위안을 받을지도 모르잖아. 그렇다면 우리야말로 다른 사람들을 위로하는 거구……. 명지야, 조금만 더 견뎌. 아빠가 네 곁에 있잖아."

그 후로도 명지 아빠는 명지의 마음속 깊은 곳으로 들어와 언제나 그녀를 지켜주었다. 아빠의 사랑으로 명지는 무사히 사춘기를 넘기고 대학에 입학하게 되었다. 대학 입학식 날, 그녀의 아빠는 명지가 자랑스럽다고 말했다. 명지 역시 자신의 아빠가 너무나 자랑스러웠다. 입학식장에서 아빠는 두 개의 보조다리에 몸을 기댄 채 가슴 가득 한 다발의 꽃을 안고 있었다.

입학식을 끝내고 나올 때 그들의 눈앞에서 아주 긴박한 상황이 벌어졌다. 차가 다니는 도로 쪽으로 한 어린 꼬마가 뛰어들고 있었던 것이다. 앞서 걸어가던 명지의 아빠는 그 아이를 향해 전속력으로 달려갔다. 명지의 눈앞엔 믿을 수 없는 일이 일어나고 있었다.

명지 아빠는 보조다리도 없이 아이를 향해 달리고 있었던 것이다. 명지는 자신의 눈을 의심하며 아빠가 그 아이를 안고 인도로 나오는 모습을 지켜보았다.

"아빠?"

명지는 너무 놀라 소리쳤지만 아빠는 못 들은 척 보조다리를 양 팔에 끼고는 서둘러 가버렸다.

"엄마? 엄마도 봤지? 아빠 걷는 거……."

하지만 명지 엄마의 얼굴은 의외로 담담해 보였다.

"명지야, 놀라지 말고 엄마 말 잘 들어. 언젠가는 너도 알게 되 리라 생각했어. 아빠는 사실 보조다리가 필요 없는 정상인이야. 그 때 아빠는 팔만 다치셨어. 그런데 사 년 동안 보조다리를 짚고 다니 신 거야. 너 혼자 아프게 해서는 안 된다고……. 성한 몸으로는 누 구도 아픈 너를 위로할 수 없다고 말야."

"왜 그랬어? 왜, 아빠까지……."

명지는 자신도 모르게 울음이 터져 나왔다.

"울지 마. 그렇게라도 하지 않았으면 아빠는 견디지 못하셨을 거야. 불편한 몸으로 살아오시며 너를 위로할 수 있는 자신의 모습 을 아빠가 얼마나 자랑스러워 하셨는데……. 오늘은 그 어린것이 교통사고로 너처럼 될까 봐서……."

멀리 보이는 명지의 아빠는 여전히 보조다리에 몸을 의지한 채 빠른 걸음으로 걸어가고 있었다. 그를 보고 있는 명지의 분홍색 파 카 위로 눈물이 방울방울 흘러내렸다.

명지가 방황할 때마다 그녀의 아빠는 늘 이렇게 말했다.

"세상의 모든 것들은 결코 하나의 의미로만 존재하지 않는 거야. 슬픔도 그리고 기쁨까지도⋯⋯. 힘겨워도 견디고 또 견디다 보면 언젠가는 슬픔도 아름다운 노래가 되거든⋯⋯."

마음이 아픈 날이면 명지는 늘 아빠 품에 안겨서 울었다. 그때마다 소리내어 운 것은 명지였지만 눈물은 명지의 아빠 가슴속으로 더 많이 흘러내렸다.

삶은 때로는 흉악한 거인을 앞세워 우리에게로 다가옵니다.

흉기를 든 거인 앞에 우리는 맨주먹이지만, 아직 싸움이 끝난 건 아닙니다.

희망을 가진 자 앞에서 인생은 마술을 보여주니까요.

고통은 기린의 목처럼 길지만, 그만큼의 높이에 희망을 매달고 있습니다.

다시 일어서야 합니다.

아픔이 있다는 건 아직도 꿈이 남아 있다는 거니까……

사랑이 있는 한 우리는

선생님, 저 경진이에요. 지난번에 자꾸만 눈물이 나와 아무 말씀 못 드리고 나와 죄송한 마음에 이렇게 편지를 드립니다.

엄마는 오랫동안 신부전증을 앓으셨습니다. 그리고 결국은 한 달 전에 병원에 다시 입원하셨습니다. 얼굴과 손발이 풍선처럼 부은 채 희망 없이 누워 계신 엄마를 보면 눈물만 흘렸습니다.

불행하게도 엄마는 다른 사람의 신장을 이식받아야 했습니다. 가족들의 아픔은 이루 말할 수가 없었습니다. 어느 날 아빠께서 오빠와 저를 앉혀 놓고 말씀하셨습니다.

"엄마는 참 좋으신 분이시다. 지금껏 살아오면서 너희 엄마의 사랑에 보답할 길이 없었는데……."

아빠는 더 이상 말을 잇지 못하고 한참 동안 고개를 숙이고 계셨습니다.

"아빠는 내일 아침에 병원에서 정밀검사 받는다. 엄마에게 신장 이식을 할 수 있는지 검사하는 거야. 엄마에겐 비밀로 해라."

아빠는 젖은 눈으로 울고 있는 저희들의 눈물을 닦아주었습니다.

다음날 아빠는 새벽바람을 맞으며 병원으로 갔습니다. 그러나 불행히도 엄마가 아빠의 신장을 받을 수 없다는 검사 결과가 나왔습니다. 우리 가족은 또다시 절망의 끝에 서서 울 수밖에 없었습니다.

그런데 며칠 후 오빠가 아빠의 뜻을 대신해 병원에 가서 검사를 받겠다고 했습니다. 하지만 절대로 그럴 수는 없다고 아빠는 말했습니다. 며칠간 오빠는 간곡히 아빠를 설득했습니다. 아빠는 이제껏 보이신 적이 없는 가장 슬픈 얼굴로 오빠를 꼬옥 안아 주었습니다.

오빠는 병원에서 정밀검사를 받았고 검사 결과도 아주 좋았습니다. 이제 남은 건 엄마를 설득하는 일이었습니다. 하지만 자식이 조금만 아파도 함께 앓아 눕는 엄마에게 이러한 일은 상상조차 할 수 없는 일이었습니다. 오히려 그 충격으로 병이 더 악화될지도 모른다는 생각이 들었습니다. 우리는 결국 엄마 모르게 수술 날짜를 잡아야 했습니다. 그것이 엄마를 살리기 위해서 우리가 할 수 있는 마지막 방법이었습니다.

오빠는 수술에 앞서 미리 다른 병동에 입원해 있었고, 엄마 모르게 모든 일이 진행되었습니다. 평소와는 다른 식구들의 모습에 엄마는 무언가 짐작하셨는지 저를 잡고 꼬치꼬치 캐물었습니다. 저는 천연덕스럽게 거짓말을 하고는 병실 밖으로 나와 소리 없이 눈물을 흘렸습니다.

새벽부터 겨울비가 내리던 날, 엄마는 여느 때와는 다른 의사와 간호사의 행동에 거듭거듭 물었지만, 간단한 조사를 하는 거라는 의사의 말에 내심 마음을 놓았습니다. 엄마는 마취주사를 맞고 나서 깊은 잠에 빠진 채 수술실로 들어갔습니다.

그런데 잠시 후 수술실 문이 열리더니 청색 마스크를 벗으면서 의사 선생님이 나왔습니다. 수술을 준비하던 중 엄마의 환자복에서 나왔다며 선생님은 아빠에게 편지 한 통을 내밀었습니다.

'의사 선생님, 만일 내가 식구들로부터 신장을 이식받아야 한다면 절대로 그렇게 해주시면 안 됩니다. 내가 세상에서 가장 사랑하는 사람들을 나와 같은 아픔을 가지고 반쪽으로 살아가게 하는 건 아내로서, 그리고 어미로서 죽음보다 감당하기 힘든 고통입니다. 부디 가엾은 이 사람의 뜻을 받아주시고 이 편지를 제 남편에게 전해주시기를 바랍니다. 그렇게 해주시면 하나님과 가족들의 사랑으로 저는 기적처럼 다시 일어설 수 있을 겁니다.'

뜻밖의 상황에 어찌할 바를 모르는 의사 선생님에게 아빠는 목이 메인 채 수술을 해달라고 말했습니다.

오랜 시간이 지나서야 수술이 끝났습니다. 그리고 엄마와 오빠는 급히 중환자실로 옮겨졌습니다. 저는 중환자실 앞에서 아빠의 손을 꼭 잡고 겨울비 내리는 하늘을 바라보았습니다.

지금 저 하늘나라로 떠나가며 두려움에 떨고 있는 사람들 틈에서 오빠가 자랑스럽게 엄마를 데리고 다시 우리 곁으로 돌아올 거라 생각하며 저는 아빠 품에 안겨 소리내어 울었습니다.

다행히 수술 결과는 좋았습니다. 수술 후에도 많은 병원비 때문에 살아갈 일이 걱정됐지만, 엄마가 우리 곁으로 돌아왔다는 것만으로도 우리는 너무 행복했습니다. 수술 후, 엄마의 입술은 양파 껍질처럼 하얗게 타버리고 말았습니다. 같은 병실에 누워 있는 오빠의 숨소리도 가늘고 가빴습니다.

엄마는 오빠보다 회복이 한참 느렸습니다. 그런데도 아빠의 부축을 받으며 기어이 오빠보다 더 먼저 걸으셨습니다. 아픈 배를 움켜쥐고 상처보다 더 아픈 가슴으로 눈물을 닦으시며, 오빠의 얼굴을 가까이 보기 위해서 걸음을 옮겨 놓던 엄마. 엄마의 두 눈에선 주루룩 눈물이 흘렀습니다. 오빠는 괜찮다는 듯 빙그레 웃고 있었습니다.

병아리

어릴 적 옆집에는 태호 형이 살았습니다. 아이들은 태호 형을 바보라고 놀렸습니다. 하루는 태호 형이 우리 앞마당으로 들어와 병아리를 쫓아다녔습니다. 병아리는 개나리 꽃잎처럼 나풀거리며 이리저리 마당을 뛰어다녔습니다. 그런데 태호 형이 그만 병아리를 밟고 말았습니다. 형은 깔깔거리며 자기 집으로 도망쳤고, 엄마는 울고 있는 나를 달랬습니다. 다음날 학교를 마치고 집으로 돌아오는 길이었습니다. 골목 입구에서 태호 형이 울고 있었습니다. 형은 겁먹은 얼굴로 내게 달려왔습니다. 그리고 멀지 않은 곳엔 여러 명의 아이들이 모여 있었습니다. 그들은 손에 조그만 돌멩이를 쥐고 있었습니다.

"형, 내 뒤에 숨어. 그리고 나만 따라와."

나는 큰 돌 두 개를 주워 양손에 하나씩 들었습니다. 내가 들고 있던 돌멩이에 기가 죽은 듯 아이들은 딴청을 부렸습니다. 무사히 집 앞까지 왔을 때 형은 쏜살같이 자기 집으로 들어가 버렸습니다. 그런데 그 날 밤 문 밖에서 이상한 소리가 들렸습니다. 대문을 열었더니 병아리 한 마리가 '삐약 삐약' 나팔꽃 씨 같은 눈을 깜박이며 나를 바라보고 있었습니다. 두 손 가득 병아리를 안았습니다.

죽은 병아리 생각에 눈물이 났습니다. 누가 병아리를 갖다 놓았는지 금세 알 수 있었습니다. 병아리는 다리에 끈이 감긴 채 대문 손잡이에 매어져 있었습니다.

"형은 정말 바보야. 한 쪽 다리만 묶으면 되는데."

나도 모르게 웃음이 나왔습니다. 형은 두 줄의 비닐 끈으로 병아리의 양쪽 다리 모두를 묶어 놓았습니다. 갑자기 태호 형이 보고 싶었습니다. 태호 형 집 대문을 열고 들어섰을 때 안쪽에서 아줌마의 화난 목소리가 들렸습니다. 아줌마는 형의 종아리를 인정사정 없이 때리고 있었습니다.

"누가 돼지저금통 찢으라 했어. 너, 또 군것질하려고 저금통 찢었지?"

형은 울기만 했을 뿐 끝끝내 아무 말도 하지 않았습니다. 내게 줄 병아리 때문에 붉은 수숫대가 되어버린 형의 종아리…….

"바보! 바보!"

흐르는 눈물 때문에 형의 얼굴은 더 이상 보이지 않았습니다.

3장 우리 다시 만날 때까지

시간이 지나도 잊혀지지 않는 그리움

시간이 지나도 잊혀지지 않는 그리움

I

"상헌 씨, 우리 결혼 한 번만 더 생각해 봐."

상헌을 바라보며 지혜는 슬픈 얼굴로 말했다.

"이제 와서 마음 약해지면 안 돼."

"의사들도 가망이 없다는데, 무슨 희망이 있겠어? 맨날 이렇게
누워만 있는 사람이……."

"그렇지 않아. 넌 이겨낼 수 있어."

"내 마음이 더 아플까봐 그래, 상헌 씨."

"그러지 마. 나를 생각해서라도 그런 말은 하지 마, 지혜야."

상헌의 눈에신 눈물이 흘러내렸다.

주변 사람들의 반대를 무릅쓰고 두 사람은 끝내 결혼했다. 서울
변두리의 조그만 전세방에 살림을 차린 두 사람은 행복했다. 상헌은

189

새벽같이 일어나 아침을 준비했고, 지혜가 먹을 점심 밥상까지 차려 놓고 출근했다. 그리고 퇴근하면 곧바로 시장으로 가서 지혜가 좋아하는 반찬을 사다가 저녁을 준비했다.

상헌은 누워 있는 지혜가 보이도록 방문을 조금 열어 놓고 백열등 하나가 힘겹게 매달린 어두컴컴한 마당에서 빨래를 했다. 힘없이 누워 있는 지혜의 얼굴을 바라보면서, 그러다 흘러내리는 눈물을 감추려고 몇 번이고 고개를 떨구면서…….

그러던 어느 날, 급작스런 병의 악화로 지혜는 다시 병원에 입원하게 되었다. 예정된 시간이 온 듯 지혜는 밤새도록 신음했다. 병실에 누워 있는 그녀를 바라보다 가슴속 가득 눈물이 차오르면 상헌은 병실 밖으로 나가 소리 없이 울었다.

창백한 손등으로 떨어지는 눈물을 닦으면서, 지혜의 야윈 손의 손톱을 깎아주면서 상헌은 기도했다. 지혜가 저 세상으로 가지고 갈 만큼의 사랑을 줄 수 있는 시간을 달라고…….

하지만 지혜는 꽃잎 같은 영혼을 끝내 떨구고 말았다.

지혜는 떠났지만 상헌은 그녀를 보낼 수 없었다. 몇 년이 지나도록 지혜가 그리울 때마다 지혜가 좋아했던 안개꽃을 들고 대구에 있는 처가로 갔다. 죽은 지혜가 처녀시절 사용했던 앉은뱅이 책상 위에 지혜의 사진과 안개꽃을 놓아두고 그녀와 하룻밤을 보내기 위해서…….

그것이 상헌에게는 지혜와 함께 할 수 있는 유일한 위안이었다. 그녀의 방에 있는 조그만 창문을 열면 그녀는 달빛으로 쏟아져 방안으로 들어왔다. 눈이 내리는 날이면 하얀 눈을 툭툭 털며 들어올 것 같은 지혜를 위해 상헌은 정신나간 사람처럼 대문을 활짝 열어두기도 했다. 그러다 눈이 그치고 어둠이 내리면 지혜가 덮던 이불을 뒤집어쓰고 소리내어 울기도 했다.

아침부터 가을비가 내렸다. 상헌은 네 시간이 넘도록 버스를 타고 대구에 있는 처가에 도착했다.

"저 왔어요, 장인어른. 그간 안녕하셨지요?"

"김 서방 왔나? 어여 들어오게. 전화라도 하고 오지 않구서."

"그저께는 지선이가 다녀갔는데, 오늘은 자네가 왔구먼."

"처제가 다녀갔어요? 그저껜가, 저한테도 전화가 왔었는데."

"으응, 그랬었구먼. 그저께 밤에 불쑥 찾아와서는 자네 얘기를 얼마나 했는지 몰라. 지 언니 방에서 하룻밤 자고는 어제 아침 먹고 다시 부산으로 갔어. 오후에 수업 있다구."

"그랬었군요."

"며칠 전 꿈에서 지 언니를 본 모양이야. 그 날도 지 언니 생각이 나 밤늦은 시간인데도 왔을 테지 뭐. 지선이가 형부 보고 싶다고 몇 번을 말하던데."

한숨 섞인 목소리로 그의 장모가 말했다.

2

장인은 잠결에 들려오는 이상한 소리에 잠에서 깨어났다.

"어디서 나는 소리야? 거 시끄러워서 잠을 못 자겠네."

"시계 소리 아니에요? 또 어느 집에서 시계 맞춰 놓고 못 일어나는 모양이지요."

눈을 감은 채 잠을 자던 상헌의 장모가 느린 목소리로 말했다.

"당신도 그만 일어나야지. 김 서방 일찍 갈지도 모르는데."

"아니에요. 김 서방 오늘 저녁 차 타고 서울 올라간데요. 늦게까지 잔다고 깨우지 말랬어요."

"그나저나 김 서방 얼굴이 말이 아니던데."

"누가 아니래요. 어젯밤에 화장실 가는데 지혜 방에서 김 서방 우는 소리가 들리더라구요. 어찌나 속상하던지……."

"근데 도대체 어느 집에서 나는 소리야, 저 시계 소리? 시끄러워 죽겠네. 새벽부터 들리더라구."

"귀도 밝으시네요. 나는 잘 들리지도 않는구만. 저는 나가서 아침 준비해야겠어요."

장모는 길게 하품을 하며 방문을 열고 나갔다. 그리고 잠시 후, 숨 넘어갈 듯 놀란 표정을 지으며 방으로 들어왔다.

"여보, 어쩌면 좋아요. 빨리 지혜 방에 좀 가 봐요."

"왜 그렇게 놀라서 그래?"

"저 시계 소리 지혜 방에서 나는 소리예요. 시계 소리는 계속 울리는데 아무리 방문을 두드려 봐도 대답이 없어요. 어서 빨리 가 봐요. 어서요."

그녀의 목소리는 떨리고 있었다.

상헌의 장인이 문을 부수고 방안으로 들어갔을 때, 상헌은 안개꽃을 가슴에 가득 안은 채 눈을 감고 있었다. 그리고 머리 위에는 유서 한 장이 놓여 있었다.

'아내를 잊을 수가 없었습니다. 사람들은 모두 시간이 지나면 잊혀질 거라고, 그렇게 잊으며 살아가는 거라고 나를 위로했습니다. 그런데 시간이 지나면 지날수록 죽은 아내가 더욱 그리웠습니다. 그래서 서둘러 아내의 곁으로 갑니다. 부디 저의 죽음을 슬퍼하지 마십시오. 사랑하는 아내를 다시 만날 것을 생각하니 더없이 평화롭고 기쁩니다.'

3

상헌은 온몸이 땀에 젖은 채 어둔 사막을 걷고 있었다.

발 밑의 모래는 낙지의 흡반처럼 상헌의 몸을 빨아들이고 있었다. 그리고 멀리서 크고 검은 물체가 시야에 들어왔다. 그것은 공룡처럼 느리게 몸을 꿈틀거리고 있었다. 커다란 나무였다. 나무는 굵은 몸체 위에 무시무시한 눈을 가지고 있었다. 그 눈에선 신비스러울 만큼 푸른 빛이 쏟아져 내렸다. 그 푸른 광채는 금세라도 상헌을 삼켜버릴 것만 같았다. 상헌은 눈이 부셔 눈을 뜰 수가 없었다. 상헌이 고통스럽게 다시 눈을 떴을 때, 커다란 나무는 사라지고 없었다. 투명한 햇살 한 줄기가 상헌의 눈 속으로 파고들었다. 그리고 아주 가까이에서 사람의 목소리가 들려왔다.

"김 서방? 이제 정신이 드는가?"

상헌의 장모는 놀라 흐느끼며 물었다.

"여보, 진정해. 이 사람 놀라겠어."

상헌은 눈을 뜨고 가만히 허공을 바라보았다. 그리고 고개를 돌려 사람들의 얼굴을 한참 동안 바라보았다.

"나 알아보겠나, 김 서방?"

상헌은 아무 말도 하지 않았다. 그리고 장인 옆에 서 있는 장모와 처제 지선의 얼굴을 바라보더니 다시 눈을 감았다. 감은 두 눈에서 눈물이 흘러내렸다.

다음날 아침, 상헌은 병실의 창 밖을 바라보고 있었다. 굵은 빗줄기가 세차게 유리창을 두들기며 흘러내렸다.

"형부, 왜 이러셨어요? 다들 견디며 살아가는데."

지선은 상헌의 손을 잡은 채 울고 있었다

"형부, 며칠 전에 형부한테 왜 전화 걸었는지 아세요? 사실은 그때 꿈에서 언니를 봤어요. 꿈속에서 우리 집 마당을 걸어가는데 언니 방에서 울음소리가 들렸어요. 그래서 급히 들어가 보니 언니가 흰옷을 입고 슬프게 울고 있더라구요. 그래서 그 날 형부한테 전화한 거예요."

"김 서방, 왜 못난 짓을 했어? 지선이가 그 전날 집에 다녀가지 않았으면 큰 변을 당했을 거야. 내가 그 시계 소릴 못 들었으면 어쩔 뻔했나? 지선이가 오던 날, 안방에 있던 시계를 그 방에 갖다 놓았기에 망정이지."

"그러게나 말야……."

망연히 땅만 쳐다보던 상헌의 장인이 말했다.

"김 서방, 다시는 이런 마음먹어서는 안 되네. 먼저 간 지혜를 생각해서라도. 내 아무리 생각해 봐도 이건 우연이 아닐세. 자네 오기 전날 밤에 지선이가 와서 시계에 건전지까지 사다 끼웠거든. 아침 일찍 일어나야 한다구 말야. 지선이가 지 언니 꿈을 꾸지 않았던들 그 날 집에 왔겠어?"

"형부, 어제 아침에 언니 방에서 엄마를 부른 건 시계 소리가 아니에요. 언니가 부른 거예요. 형부도 아시잖아요. 이런 일에 가장 마음 아파할 사람은 바로 언니라는 걸……."

상헌은 여전히 창 밖의 빗줄기를 바라보고 있었다.

돌아누운 상헌의 얼굴을 타고 뜨거운 눈물이 흘러내렸다.

사랑의 힘

소영의 집에서 몇 정거장 떨어진 조그만 공원에서 민수는 그녀를 기다리고 있었다.

을씨년스러운 초겨울 바람은 낙엽만 분주히 몰고 다녔고, 거리엔 오가는 사람들도 많지 않았다.

그때 민수의 앞으로 한 남자가 느릿느릿 걸어왔다. 야윈 얼굴의 그는 한 쪽 손에 지팡이를 들고 물끄러미 민수를 바라보고 있었다.

"저…… 젊은이. 나 좀 도와줄 수 있겠나?"

사내는 한 쪽 다리에 깁스를 하고 있었다.

"실은 내가 지금 화장실이 너무 급해 그러거든. 이 근처를 아무리 찾아봐도 화장실이 있어야지."

"저기 보이는 게 화장실인데요."

민수는 사내에게 공원 한쪽에 있는 화장실을 가리켰다.

"거긴 지금 화장실 공사 때문에 사용할 수 없다고 써 붙였던 데……."

"그럼 저쪽으로 올라가시면 화장실이 또 하나 있을 텐데요. 아, 참 다리를 다치셔서 계단을 못 올라가시겠네요."

민수는 선뜻 사내를 부축했다. 그리고 화장실이 있는 공원 내의 허름한 건물로 갔다.

사내를 부축해 한 계단씩 조심스럽게 오르면서도 민수는 계속 뒤쪽을 돌아보았다. 혹시라도 소영이 왔다가 그냥 돌아갈까 봐 마음이 놓이지 않았다. 그런데 계단을 다 올라갔을 때 공교롭게도 화장실 문은 굳게 잠겨 있었다.

"아저씨, 화장실 문이 잠겨 있는데요?"

"그럼 어쩌지?"

사내는 더 이상은 참기 어려운지 얼굴이 일그러지기 시작했다.

"공원 밖에 있는 건물로 가는 게 낫겠어요."

민수는 다시 사내를 부축해 서둘러 공원을 빠져나갔다. 그리고 공원 앞에 있는 낡은 건물의 3층까지 그를 안내했다. 다행히도 그곳에는 화장실이 하나 있었다.

"젊은이, 이제 나 혼자 갈 수 있네. 나 때문에 고생이 많았지? 정말 고마웠어."

사내는 그렇게 말했지만 민수는 그를 기다려야 했다. 그녀와의 약속장소조차 보이지 않는 곳이라 마음은 몹시 불안했지만, 그렇다고 가파른 계단을 깁스까지 한 사람 혼자 내려오게 할 수는 없는 노릇이었다. 10분 정도 지나 민수는 사내를 부축해 건물 밖으로 다시 나왔다.

"저는 공원으로 들어가서 친구를 기다려야 하거든요. 그럼 조심해 가세요."

"고맙네. 젊은이 아니었으면 길에서 큰 망신당할 뻔했지 뭐야."

사내와 인사를 나누고 민수는 서둘러 공원 안으로 뛰어 들어왔다. 하지만 그때까지도 소영은 보이지 않았다. 어쩌면 자신이 사내를 부축하며 30여 분을 오가는 사이에 소영이 왔다 갔을지도 모른다는 생각이 들었다. 그렇다고 그녀의 집으로 선뜻 전화를 걸 수도 없는 형편이었다.

소영의 부모님은 민수가 어릴 적부터 부모 없이 자랐다는 이유로 그녀와의 교제를 반대하고 있었다. 더욱이 그 날 약속은 서신으로 정한 그의 일방적인 행동이었기 때문에 그녀가 못 나올 수도 있으리란 생각이 들었다.

소영이 나타난 것은 그로부터 30여 분이 지나서였다. 그녀는 민수를 보자 몹시 놀란 얼굴이었다.

"오빠, 여긴 웬일이야?"

"웬일이라니? 내가 보낸 편지 받고 나온 거 아냐?"

"무슨 편지? 오빠가 편지 보냈어? 난 못 받았는데."

"그럼 여긴 어떻게 알고 왔어?"

"아빠 모시러 전화 받고 나온 거야. 아빠가 다리를 다치셔서 잘 걷지 못하시거든. 이리로 나오라고 해서 급히 나온 건데……."

그녀는 근심스런 얼굴로 공원의 이곳 저곳을 살폈다.

그렇다면 민수가 보낸 편지를 받은 사람은 그녀가 아니라 그녀의 아버지였단 말인가. 바로 전에 그가 부축했던 사내는 바로 그녀의 아버지였다. 민수는 주체할 수 없는 기쁨으로 말 없이 그녀의 손을 꼭 잡았다. 언젠가 전화를 통해 그녀의 아버지는 말했었다.

'사랑을 받아보지 못한 사람은 다른 사람을 사랑할 수 없네…….'

그 말은 선인장 가시처럼 아프게 민수의 마음속에 박혀 있었다. 하지만 오늘, 그녀의 아버지는 사랑스러운 딸을 민수에게 보냈다.

부모가 없는 세상에서 민수는 가슴을 뜯으며 사랑을 찾아 헤맸었다. 그러나 사랑은 그에게로 오지 않았다. 하지만 다른 사람을 사랑하는 것이 곧 자신을 사랑하는 것임을 그는 알게 되었다. 자신을 버릴 때 사랑은 비로소 자신에게 온다.

지금쯤 어느 별에서

화석 속에 웅크린 시조새의 날개처럼 그에겐 비밀스러움이 있었다.
정민과 만나는 자리에서도 그는 누군가에게 자주 전화를 걸었다.
그리고는 이내 쓸쓸한 표정을 지으며 수화기를 내려놓았다. 그런 그
의 모습은 정민을 몹시 힘들게 했다.

"오빠는 나 만날 때마다 어디다 그렇게 전화를 해?"

"어? 친구한테 하는 거야."

"오빠 친구도 이리 나오라고 하면 되잖아? 나랑 같이 만나면 안
돼?"

"아니, 그런 건 아니구."

그는 몹시 당황해했다. 그 태도는 마치 정민의 상상을 고스란히
인정하는 것처럼 느껴졌다. 아마도 그가 예전에 좋아했던 사람을 잊

지 못해 그러는 것이리라 그녀는 막연히 짐작할 뿐이었다.

그 후로 정민의 마음은 그에게서 조금씩 멀어졌다. 더욱이 그는 집 전화번호조차 가르쳐주지 않을 만큼 그녀에게 믿음을 주지 않았다.

어느 날, 수업을 마치고 나오는데 강의실 앞에서 그가 기다리고 있었다. 그의 얼굴은 오랫동안 팔려 나가지 않는 진열대의 인형처럼 몹시 우울해 보였다.

"정민이, 많이 화났구나? 그 동안 내가 잘못했어. 미안해."

그러나 정민은 그의 물음에 아무런 대꾸도 하지 않았다.

라일락 향기 가득한 봄바람을 맞으며 그들은 말없이 교정을 걸었다. 헤어질 때 그는 그녀에게 조그만 쪽지 하나를 내밀며 말했다.

"우리 집 전화번호야. 내일 아침에 집으로 전화해줄 수 있지?"

다음날 아침, 정민은 그에게 전화를 걸었다. 세 번의 신호음이 울리더니 가느다란 여자의 목소리가 들려왔다.

'지금은 잠시 외출 중이오니 전화 거시는 분의 성함이나 연락처를 남겨 주시면 돌아오는 대로 연락 드리겠습니다.'

전화를 잘못 걸었을지도 모른다는 생각에 그녀는 전화를 끊으려 했다. 그때 다급한 그의 목소리가 들려왔다.

"여보세요?"

"오빠, 나 정민이야."

"어 그래, 정민이구나. 내가 잠깐 잠이 들었었나 봐."

"전화 잘못 건 줄 알았는데……."

"응…… 우리 엄마였어."

화창한 아침 햇살을 받으며 그들은 청량리역에서 기차를 타고 춘천으로 갔다. 바람 맑은 소양강변에서 오후를 보내고 다시 서울로 오기 위해 춘천역에서 기차를 기다리며 그들은 역사 밖으로 나왔다. 화단에는 올망졸망한 봄꽃들이 막 꽃망울을 터트리고 있었다.

맑기만 한 하늘에서 갑자기 비가 내리기 시작했다. 그들은 비를 피하기 위해 역사 한쪽에 있는 공중전화 부스로 들어갔다. 그가 정민을 보며 싱겁게 웃더니 어딘가에 전화를 걸었다. 그리고는 갑자기 수화기를 그녀에게 내밀었다.

"누군데?"

"받아보면 알아."

당황하는 정민을 두고 그는 봄비 속으로 천천히 걸어 나갔다. 얼떨결에 받은 수화기에선 가느다란 여자의 목소리가 들려왔다.

'지금은 잠시 외출 중이오니 전화 거시는 분의 성함이나 연락처를 남겨 주시면 돌아오는 대로 연락 드리겠습니다.'

그리고 잠시 후 '삐-이' 하는 신호음이 들리더니 이번엔 굵직한 남자 목소리가 들려왔다.

"정민아, 나야. 우리 엄마 목소리 예쁘지? 엄마가 작년 봄에 녹

음한 거야. 지금은 하늘나라에 계시지만, 엄마 목소릴 들을 때마다 엄마가 늘 내 곁에 있다고 생각했어. 그래서 엄마가 그리울 때면 집으로 전화를 했던 거야."

정민은 화단 앞에 앉아 비를 맞고 있는 그에게로 갔다.

"오빠, 왜 말해주지 않았어?"

"정민아, 난 아직 철이 덜 들었나 봐. 잠시 외출 후에 돌아온다는 우리 엄마의 말을 아직까지 믿고 있거든."

그의 눈엔 눈물이 가득 고여 있었다. 그리고 몰아쉬는 깊은 숨 사이로 그리움이 새떼처럼 하늘로 날아오르고 있었다.

난쟁이 해바라기

가까운 숲 속에서 맑은 바람이 불어왔다. 사람들 얼굴을 어루만지던 가을 햇살은 오후의 기지개를 켜며 먼 길 떠날 준비를 하고 있었다. 말 없이 공원의 풍경을 바라보던 성재 씨가 아들 태호에게 말했다.

"태호야, 아빠하고 저기 있는 비둘기한테 갈까?"

"……."

태호는 아무런 대답이 없었다.

"비둘기한테 까까 주면 얼마나 좋아하는데. 아빠하고 가 보자."

성재 씨가 태호의 팔을 끌었지만, 태호는 엄마 품으로 얼굴을 묻어버렸다. 자폐증을 앓고 있는 태호는 언제나 그렇게 성재 씨의 마음을 아프게 했다. 태호의 그런 모습이 상처가 되어 그 역시 늘 말이 없는 편이었다. 아내 미연 씨는 그런 그를 위로하고 싶어했지만,

그럴 때마다 두 사람 사이엔 어색한 침묵만이 흐르곤 했다. 태호는 가시덤불 속에 피어난 찔레꽃처럼 사랑스러웠지만, 가슴에 안으면 아픔이 되는 아이였다.

가까운 곳에서 어린아이의 노랫소리가 들려왔다. 여섯 살쯤 된 여자아이가 엄마 아빠 앞에서 춤을 추며 노래를 부르고 있었다. 노랫소리에 손뼉을 치고 있는 부모의 뒷모습이 너무도 행복해 보였다.

"태호야, 친구 노래 부르는 것 좀 봐. 참 잘한다, 그치?"

그러나 태호는 미연 씨의 가슴에 얼굴을 기댄 채 아무 말이 없었다. 다섯 살이 되도록 짧은 노래 하나를 부르지 못하는 태호에게 미연 씨는 미안했다. 그녀는 서둘러 그 자리를 떠나고 싶었다.

"그만 집에 갈까요? 시간도 많이 지났는데……."

성재 씨는 아무 대답 없이 담배를 꺼내 물었다. 허공 속으로 긴 아픔을 내뱉고 있는 그의 모습이 애처로웠다.

"태호도 저렇게 노래하고 재롱도 부리면 얼마나 좋을까요."

"그러게나 말야. 태호 때문에 이렇게 마음 아픈 일이 있을 줄은 몰랐어……."

"치료받고 있으니까 차차 나아지겠죠. 그렇다고 우리 태호 미워하진 말아요."

그렇게 말하는 미연 씨의 눈가엔 눈물이 가득 고였다.

노래를 마치고 아빠의 품으로 달려가는 아이의 모습이 보였다. 까르르 숨이 넘어갈 듯한 아이의 웃음소리가 성재 씨 부부의 귓가로 들려왔다.

잠시 후, 아이는 엄마 아빠의 손을 잡고 공원의 정문 쪽으로 걸어갔다. 그런데 갑자기 조금 전에 앉아 있던 곳으로 아이가 쪼르르 달려와서는 잔디 위에 서서 무언가를 찾고 있었다.

"현진아, 천천히 찾아봐. 거기 있을 거야."

아이의 엄마는 허공에다 손짓을 하며 아이에게 말했다. 그 순간 미연 씨는 충격으로 약간 당황했다. 아이의 부모는 앞을 볼 수 없는 사람들이었다. 깊게 팬 그들의 눈 위로 오후의 햇살이 힘겹게 부서지고 있었다.

느릿느릿 공원을 빠져나가는 그들의 뒷모습을 바라보며 미연 씨는 내내 마음이 아팠다. 캄캄한 대낮을 걸어가는 아이의 부모에게 그 아이는 하나님이 매달아 준 등불이었을까. 멀리 보이는 아이의 뒷모습이 유난히 반짝거렸다.

집으로 돌아오는 길에 성재 씨와 미연 씨는 눈빛으로 많은 말들을 주고받았다. 아픔을 가진 사람들을 부러워했던 자신들의 가벼움에 대해서. 그리고 앞 못 보는 엄마 아빠를 위해 티 없이 웃어주던 어린아이의 사랑에 대해서……

생각해 보면 사람은 자신이 생각하는 것만큼 불행하지 않다. 그리고 자신이 생각하는 것만큼 행복하지도 않다.

참매미 한 마리가 나무에 조용히 앉아 있는데 친구 매미 한 마리가 날아왔습니다.

"너는 왜 노래를 부르지 않는 거니?"

"너도 잘 알잖아. 노래를 부를 수 없는 매미도 있다는 걸……"

그렇게 말하는 참매미의 얼굴은 슬퍼 보였습니다.

"여름을 노래하지 못하는 매미는 얼마나 슬플까? 그럼 내 노래나 들으렴."

"맴맴맴맴, 매앰……"

바로 그때 친구의 노랫소리를 듣고, 한 아이가 다가왔습니다. 그리고 잠자리채의 동그란 그림자가 순식간에 친구를 삼켜버렸습니다. 그 후로 참매미는 노래할 수 없는 자신의 모습을 더이상 슬퍼하지 않았습니다.

…… 가진 것 때문에 우리는 잃어버릴 때도 있습니다.

방울토마토

고등학교를 졸업하고 재옥은 성체보육원에서 일했다. 그곳에는 부모 없는 어린아이들이 외롭고 힘들게 살아가고 있었다. 1년을 넘게 그들과 생활하며 재옥은 사랑이 부족한 자신의 모습에 절망해야 했다. 아이들에게 많은 사랑을 주고 싶었다. 하지만 그녀의 그런 바람은 오히려 높은 산이 되어 앞을 가로막았다. 자신을 송두리째 버려야만 줄 수 있는 사랑, 그 깊은 사랑이 재옥에게는 너무나 힘겨웠다.

그곳을 떠나야 한다고 여러 번 생각했다. 하지만 채송화처럼 야윈 얼굴로 햇볕 아래 앉아 있는 아이들의 모습은 쉽게 그녀의 마음을 놓아주지 않았다.

단정한 단발머리의 원장은 아이들에게 매우 엄격했다. 재옥은 그런 원장이 조금은 불만스러웠다. 그곳에 있는 아이들에겐 엄격함보다는 사랑이 더 필요하다고 생각했기 때문이다.

어둠이 내릴 무렵이었다. 어떤 할아버지가 영호의 멱살을 쥐고 고아원 앞마당으로 들어왔다. 할아버지는 짓무른 바나나 한 개를 손에 들고 있었다.

"아니 글쎄, 이 조그만 놈이 우리 집 바나나를 도둑질했잖아요."

할아버지는 무서운 얼굴로 말했다. 영호는 잔뜩 겁에 질려 그 옆에 서 있었다. 잠시 후, 원장의 사과를 받고 할아버지는 돌아갔다. 그리고 영호는 원장실로 불려 갔다.

"바나나 왜 훔친 거야? 어서 말해!"

"……."

영호는 고개를 숙인 채 아무 말도 하지 않았다.

"열 살이나 된 놈이 왜 그런 짓을 해? 제일 큰형이란 놈이 동생들 보기 부끄럽지도 않아?"

원장의 목소리는 조금씩 떨리고 있었다.

"바나나가 너무 먹고 싶어서 그랬어요."

"아무리 먹고 싶다고 다른 사람의 물건을 훔쳐? 선생님이 너에게 그렇게 가르쳤니?"

원장은 종아리에서 피가 나도록 영호를 때렸다. 고통스러워하는 영호의 모습이 너무 안쓰러워 보였다.

그 날 밤늦게 원장은 밖으로 나갔다. 그리고 양손 가득 바나나를 사 가지고 들어왔다. 원장은 자고 있는 아이들 머리맡에 바나나를 한 개씩 놓아주었다. 방문을 나서는 원장의 눈에는 눈물이 가득 맺혀 있었다.

맑은 가을 햇살이 보육원 앞마당에 둥지를 틀었다. 그리고 한 떼의 고추잠자리가 앞마당으로 날아들었다. 아이들은 병아리처럼 마당을 뛰어다녔고, 원장은 꽃밭에 물을 주고 있었다. 재옥이 빨래를 다 널고 바지랑대를 세우고 있을 때 원장이 그녀를 불렀다.

"김 선생님, 이것 좀 봐요. 어쩌면 이렇게 탐스럽게 열렸을까요."

원장은 송알송알 맺혀 있는 방울토마토에 물을 주며 말했다.

"원장선생님이 매일같이 정성을 들이셨잖아요?"

"웬걸요? 게으름 피우느라 물을 못 준 적도 있는 걸요. 김 선생님, 나는 이 방울토마토를 볼 때마다 우리 아이들을 생각해요. 초록빛 꼭지마다 손가락을 움켜쥐고 가지에 매달린 모습이 꼭 엄마 손을 잡은 아이들 같거든요."

원장은 빨갛게 익은 방울토마토를 어루만지고 있었다.

"김 신생님, 내가 아이들에게 너무 임할 때가 있지요? 사랑만 줄 수 없으니까 가끔 혼도 내는 거예요. 그래야 아이들이 컸을 때, 부모 없이 자랐다는 소릴 듣지 않을 것 같아서요."

그 날 오후, 원장이 했던 말은 오래도록 그녀의 마음에 울려 퍼졌다.

늦은 시간, 아이들의 옷을 정리하고 나서 재옥은 원장실로 갔다. 보육원을 떠나는 문제에 대해서 원장과 상의하기 위해서였다. 그녀가 꽃밭 앞을 지나고 있을 때 열려진 커다란 창문으로 원장실 안이 들여다보였다. 그 안에는 고개 숙인 영호가 있었다. 재옥은 창문 아래 서서 영호가 나오기를 기다렸다. 그때 열려진 창문으로 두 사람의 말소리가 도란도란 들려왔다.

"영호야, 어서 먹어. 이 바나나 너 주려고 산 거야."

"선생님도 드세요."

"선생님은 아까 먹었으니까, 어서 먹어. 그리고 지난번에 많이 아팠지?"

"제가 잘못했어요. 마음 아프게 해드려서 죄송해요."

"바나나가 그렇게 먹고 싶었으면 와서 말하지 그랬어?"

"사실은 제가 먹고 싶어서 그런 거 아니에요. 며칠 전에 경수가 많이 아팠었잖아요. 다섯 살밖에 안 된 경수가 온종일 엄마를 찾으면서 아무것도 먹지 못했거든요. 그 날 저녁에 경수가 바나나 먹고 싶다고 그러는데 그냥 있을 수가 없었어요. 그래서 저도 모르게……."

"그럼, 그렇다고 말하지 그랬어. 난 그것도 모르고……."

"아무리 그래도 훔치는 건 나쁜 거잖아요. 잘못했어요, 선생님."

"그래도 말해주지. 엄마가 속상해서 얼마나 울었는데……."

원장은 울먹이고 있었다.

재옥은 그 순간 자신의 귀를 의심하지 않을 수 없었다. 충격으로 어리둥절해하고 있을 때 영호의 차분한 목소리가 다시 들려왔다.

"엄마라고 하면 안 되잖아요?"

"지금은 모두들 자고 있으니까 괜찮아. 영호야, 엄마한테 와 봐. 어서……."

재옥은 창문 안을 살며시 들여다보았다. 원장은 영호를 꼭 끌어안은 채 울고 있었다.

"우리 영호한테는 엄마가 늘 미안해. 엄마 마음 다 알지?"

"네. 알아요."

"내가 영호 엄마라는 거 아이들이 알게 되면 많은 오해가 생길 거야. 그리고 생활하면서 아이들도 더 많이 상처받을 거구. 부모 없는 저 어린것들이 너를 얼마나 부러워하겠니?"

"저도 다 알아요, 엄마. 엄마는 아이들 모두의 엄마가 되어줘야 하잖아요."

"우리 영호도 이제 다 컸구나. 네가 중학생이 되면 동생들에게 말해도 될 거야. 그땐 저 아이들도 지금보다는 더 커 있을 테니까."

발소리가 나지 않도록 재옥은 조심조심 꽃밭을 걸어 나왔다. 밤 하늘엔 안개꽃처럼 하얗게 별이 뿌려져 있었다. 그리고 그녀의 눈에서도 별이 떨어졌다. 그녀는 조용히 방으로 들어가 떠나는 날 아이들에게 주려고 했던 편지를 없애버렸다. 그때 가느다란 신음 소리가 들려왔다. 이제 다섯 살밖에 안 된 경수의 소리였다.

"엄마…… 엄마…… 엄마……."

경수는 꿈을 꾸고 있었다.

재옥은 경수에게로 다가갔다. 그리고 그 가엾은 얼굴 위에 살며시 자신의 얼굴을 대보았다. 바로 그 순간 한 줄기 따스한 눈물이 그녀를 어루만졌다.

플라스틱 말

오랜만에 만난 친구는 세상에 돈만 있으면 안 되는 일
이 없다고 말했습니다. 그와 함께 문방구 앞을 지나갈
때, 옆구리에 동전만 넣어주면 거꾸로 세월을 달릴 줄
아는 플라스틱 말이 조롱하듯 우리를 쳐다봤습니다.
친구는 500원짜리 동전을 넣고 80킬로가 넘는 몸을
말 등에 실었습니다. 그런데 말은 동전을 먹고도 움직
일 생각을 하지 않았습니다. 나는 친구에게 말했습니
다.
"거봐, 돈으로 안 되는 것도 있잖아."
친구는 계면쩍게 웃으며 혼자 출렁이다가 늑대 같은
말소리만 몇 번 내고서 조용히 내려왔습니다.

우리 다시 만날 때까지

동혁 씨는 오랜만에 나이 드신 부모님을 모시고 봄나들이를 갔다.

그의 아버지 김 노인은 가족들과 떨어져 저만큼 앞서 걸었다. 그는 어머니 이 노인과 함께 아이들을 데리고 뒤에서 걷고 있었다. 그때 아내 윤희 씨가 이 노인에게 말했다.

"아버님은 왜 저렇게 늘 앞서 걸으세요? 어머니 손도 좀 잡아주시고 같이 가시면 좋으시련만……."

"놔둬라. 이날 입때꺼정 저러시는 양반이다. 밖에만 나오면 꼭 남처럼 저러시는 걸 낸들 어쩌겠냐. 뭐가 그렇게 창피한지……. 그래도 속정은 많으신 분이다."

그렇게 말하는 이 노인의 발걸음은 아지랑이처럼 흔들리고 있었다.

"제가 가서 아버님께 말씀 좀 드려야겠어요."

윤희 씨는 부축하던 이 노인의 손을 동혁 씨에게 맡기고 김 노인에게로 갔다. 그리고는 잠시 후 실망스러운 표정을 지으며 되돌아왔다.

"뭐라셔?"

"어머님하고 같이 좀 가시라고 말씀드렸더니, 놔둬라, 일 없다, 하시는 거예요."

"그러실 줄 알았어."

그 해 가을, 이 노인은 지병으로 병원에 입원했다. 노령에다가 독한 항생제 주사를 맞아서인지 이 노인의 머리카락은 하루가 다르게 줄었다. 말은 안 했지만 김 노인은 침대에 붙어 있는 아내의 머리카락을 치우며 늘 마음 아파하는 것 같았다.

그리고 입원한 지 두 달도 못 채우고 이 노인은 끝내 눈을 감았다. 동혁 씨는 군데군데 머리카락이 빠져버린 어머니의 싸늘한 이마에 마지막으로 입을 맞췄다.

이 노인이 그들의 곁을 떠난 후로 김 노인은 더욱 말이 없어졌다. 어느 날, 저녁을 먹으며 윤희 씨가 조심스럽게 말했다.

"아버님. 저 한 가지 궁금한 게 있어요. 어머니 가실 때 아버님께서 손을 꼭 잡으시고 임종을 지켜주셨잖아요. 근데 왜 밖에 나가

시면 어머니 손 한 번 따뜻하게 잡아주시지 않으셨어요? 어머니께
서 많이 서운해하셨는데……."

그녀의 말에 김 노인은 아무런 말이 없었다.

그 후 다시 1년이 지났다. 78세가 된 김 노인은 하루가 다르게
쇠약해졌다. 감기만 앓아도 일 주일은 거동을 못 할 정도였다.

하루는 혼절까지 해서 응급실로 실려갔다. 김 노인이 퇴원할 때
담당 의사는 가족들에게 마음의 준비를 하라고 말했다. 집으로 돌아
온 김 노인은 일체 거동을 못 했다. 손발도 잘 움직이지 못한 채 간
신히 묻는 말에만 고갯짓으로 대답했다. 그러면서도 동혁 씨가 옷을
갈아 입혀 드리려고 하면 한사코 고개를 가로 저으며 거절했다.

"아버님, 바지라도 갈아 입으셔야지요."

옆에 있던 윤희 씨는 근심 반 투정 반으로 말했다.

"이따가 주무실 때 내가 바지라도 갈아 입혀 드려야겠어."

"그렇게 하세요. 근데 아버님이 왜 저러시는지 모르겠어요."

"아버지 입고 계신 옷이 칠순 때 어머니가 해주신 거잖아. 그래
서 그러실 거야. 어머니 곁으로 가실 때 입고 가시려고……."

"아버님이 돌아가신 어머니에게 그만한 정이 있으셨나요?"

그런 일이 있고 며칠 후, 김 노인은 다른 때와 달리 큰 소리로
앓았다. 숨소리도 더 커졌고 고르지 못했다. 동혁 씨는 순간 아버지

의 임종을 직감할 수 있었다. 무릎을 꿇고 아버지의 두 손을 꼭 잡은
그의 눈에선 눈물이 흘러내렸다.

"아버님, 아무 걱정하지 마세요. 그리고 어머니 계신 곳으로 가
셔서 편히 쉬세요."

김 노인은 몹시 고통스러워하며 눈을 크게 떴다. 그리고 동혁
씨의 얼굴을 한 번 바라보더니 고개를 끄덕이며 조용히 눈을 감았
다. 김 노인의 감은 눈에서도 한 줄기 눈물이 흘러내렸다.

김 노인의 장례식이 끝나고 일 주일 정도 지나 동혁 씨는 김 노
인의 유품을 태우려고 뒷산으로 갔다.

동혁 씨는 김 노인의 옷과 그가 쓰던 물건들을 하나하나 불 속
으로 던졌다. 김 노인이 마지막까지 입고 있었던 저고리를 던지려고
할 때, 주머니 안에 무언가가 만져졌다. 꺼내보니 비닐 봉지였다. 그
비닐 봉지 안에는 한 움큼이나 되는 하얀 머리카락이 들어 있었다.

"어머, 이게 뭐예요?"

옆에 있던 윤희 씨도 의아한 표정을 짓고 있었다.

"……"

말을 하면 울음이 터질까 봐 동혁 씨는 잠시 아무 말도 하지 않
았다.

"아버님이 머리카락을 왜 이렇게 봉지에 담아 두셨을까요?"

동혁 씨는 천천히 말을 했다.

"어머니 머리카락이야. 어머니 병원에 계실 때 머리카락이 많이 빠지셨었잖아. 그놈의 독한 주사 때문에……."

"근데, 왜 어머니 머리카락을?"

"어머니 갖다 드리려고 그러셨겠지. 머리 때문에 흉하신 모습으로 하늘나라에 계실 테니까."

"그래서 아버님께서 그렇게 저고리를 갈아입지 않으셨군요."

동혁 씨는 더 이상 윤희 씨의 얼굴을 바라볼 수 없었다. 타오르는 불빛이 흐릿하게 보였다.

"아버님께서 그렇게 어머님을 생각하고 계셨는지 몰랐어요."

"아버지는 어머니를 많이 사랑하셨어. 당신이 그랬지. 아버지가 왜 어머니 손 한 번 잡아주지 않느냐고? 아버지는 항상 어머니 손을 잡고 계셨어. 뒤따라오시는 어머니를 바라보며 아버지는 늘 어머니 손을 잡고 계셨던 거야……."

동혁 씨는 자신이 슬플 때 껴안고 울 수 있는 두 그루의 큰 나무를 잃어버렸다. 하지만 그의 양손엔 그가 눈물을 닦아주어야 할 두 그루의 어린 나무가 자라고 있다.

아름다운 동반자

친구의 결혼식 날, 교회는 많은 사람들로 붐볐다. 태환도 많은 사람들 틈에서 지켜보고 있었다. 하늘은 맑았고, 가을 옷을 입은 고추잠자리들이 허공을 분주히 날아다니고 있었다. 그리고 화단 한쪽에는 햇볕에 얼굴을 검게 그을린 해바라기가 줄을 지어 서 있었다.

사회자의 인사말이 끝나고 신랑이 입장했다. 그리고 신부 입장을 알리는 피아노 소리가 들렸다. 술렁거리던 식장 안은 갑자기 조용해졌다. 사람들은 고개를 돌려 신부가 들어올 입구 쪽을 바라보았다. 잠시 후 고개 숙인 신부가 보였다. 다리가 불편한 신부는 아버지 손을 잡고 한 걸음 한 걸음 조심스럽게 걸어 들어왔다. 중심을 잡으려고 안간힘을 썼지만 느리게 연주되는 피아노 반주에도 신부는 발을 맞추지 못했다. 쓰러질 듯 한 쪽 발을 내딛고는 서둘러 다른 한 발을 내딛다가 신부는 그만 중심을 잃고 넘어지고 말았다. 안타까워하는 사람들의 목소리로 식장 안은 술렁거렸다. 신부를 일으켜 세우는 신부 아버지의 눈에는 눈물이 글썽거렸다.

잠시 후, 두 사람은 주례를 향해 뒤돌아섰다. 태환은 그때 세상에서 가장 아름다운 모습을 보았다. 신랑이 자신의 한 쪽 발을 신부의 웨딩드레스 밑으로 살며시 넣고는 신부의 짧은 왼쪽 발을 자신의 발등으로 떠받치고 있는 것이었다. 신랑은 중심을 잡으려고 신부보다 더 많이 흔들리고 있었다.

몇 달 후 태환은 그 친구 집에 갔다. 친구가 세 들어 살고 있는 집의 대문은 빨갛게 녹슬어 있었다. 그는 친구를 따라 분꽃이 활짝 핀 마당을 지나갔다. 그리고 좁은 통로를 꽃게처럼 옆으로 걸어 방으로 들어갔다. 방안에는 친구의 아내가 읽었던 수많은 책들이 사열하는 호위병처럼 벽면에 줄지어 서 있었다.

결혼 사진 속의 신랑신부는 아름다웠다. 하지만 그들이 입고 있는 예복은 몹시 초라했다. 결혼식 날 신랑은 낡은 양복에 뒤축이 다 닳은 구두를 신고 있었다. 신부가 입고 있던 빛 바랜 웨딩드레스도 사진관에서 값싸게 빌려온 것이었다. 그들은 그렇게 절약한 결혼비용과 축의금 일부를 고아원과 앞을 못 보는 사람들의 개안 수술비로 보냈다. 그들의 도움으로 한 아이의 엄마가 개안 수술을 받았다. 앞 못 보는 엄마의 손을 잡고 지하철에서 바구니를 들고 다니던 어린 딸에게 이제는 엄마가 희망이 돼줄 수 있었다.

친구의 아내가 준비해준 저녁을 먹으며 태환과 친구는 많은 이야기를 했다. 태환은 무심코 방안을 둘러보다 조그만 액자 속에 분홍색 종이가 끼워져 있는 것을 발견했다. 친구가 아내에게 보낸 편지였다.

'늘 기쁨으로 당신의 한 쪽 다리가 되겠습니다.

만일 그렇지 못하면 당신과 하나가 될 수 있도록

차라리 내 다리를 절게 해달라고 기도하겠습니다.'

늦은 밤이 되어서야 태환은 꽃향기로 가득 찬 친구의 방을 나왔다. 친구와 함께 좁은 통로를 빠져 나올 때, 벽에서 시멘트 가루가 하얗게 부서져 내렸다.

"아내가 아이를 가지면 이 통로가 좁아서 걱정이야."

슬픔 가득한 목소리로 친구가 말했다. 태환은 말없이 친구를 위로하고 달빛 쏟아지는 언덕을 내려왔다. 그 날따라 밤하늘의 별들이 아름답게 반짝였다.

겨울에 피는 꽃

I

일자리를 잃어버린 후, 재호는 몸과 마음이 허물어지고 있었다. 무엇보다도 이제 막 돌이 지난 딸아이에게 먹일 분유 값이 없어 애가 탔다. 친지와 친구들에게도 여러 차례 도움을 받아 더 이상은 도움을 청할 염치도 없었다.

오늘도 재호는 일자리에 대한 기대를 안고 집을 나섰다. 퀴퀴한 냄새 가득한 골목길에는 깨어진 연탄재만 을씨년스럽게 날렸고, 아이들이 아무렇게나 써 놓은 담벼락 낙서 위로 겨울 햇살이 한나절 둥지를 틀었다.

무거운 하루를 또다시 등에 이고 돌아오는 길에 재호는 문득 고등학교 동창인 성훈이 생각났다. 성훈이라면 자신의 어려움을 외면하지 않을 거라 생각했지만, 재호는 쉬이 발길이 떨어지지 않았다.

그림을 그리는 성훈이 오래 전부터 가난하게 살아왔다는 것을 재호는 알고 있었다. 하지만 오늘은 친구가 무척 보고 싶었다.

재호는 가파른 목조 계단을 올라 성훈의 화실이 있는 복도로 들어섰다. 그때 중년의 남자가 흰 종이로 포장된 그림을 들고 계단 쪽으로 걸어 나왔다.

화실 문을 열고 들어서자, 성훈은 재호를 반갑게 맞아 주었다. 한겨울에도 화실의 난로는 꺼져 있었다. 두꺼운 옷을 입고 있는 성훈의 얼굴도 까칠해 보였다.

"손님이 왔는데 화실이 추워서 어쩌냐?"

"내가 뭐, 손님이냐. 춥지도 않은데, 뭐."

재호는 미안해하는 성훈 때문에 일부러 외투까지 벗어 옷걸이에 걸었다.

"아직 저녁 안 먹었지? 내가 빨리 나가서 라면이라도 사 올게. 잠깐만 기다려."

성훈이 나간 동안 재호는 화실의 이곳 저곳을 둘러보았다. 벽에 붙은 그림 속에는 하루의 노동을 마치고 어둠 속에 귀가하는 도시 빈민이 있었다. 자신을 닮은 그 지친 발걸음을 재호는 한참 동안 바라보았다.

라면을 먹으면서도 재호는 몇 번을 망설였다. 하지만 차마 입이 떨어지지 않았다. 이윽고 재호는 옷걸이에 걸려 있는 외투를 꺼내 입었다. 외투의 무게만큼이나 재호의 마음도 무거웠다.

"나 그만 갈게, 성훈아. 잘 먹고 간다."

"오랜만에 왔는데 라면만 대접해서 어쩌지?"

"아냐, 맛있게 먹었어."

재호는 어둠이 내린 버스 정거장을 서성거렸다. 차가운 바람을 맞으며 어린 딸을 생각하고 아내의 얼굴을 생각했다. 그러다 무심코 넣은 외투 주머니 속에서 만 원짜리 다섯 장과 천 원짜리 몇 장이 들어 있는 봉투를 발견했다. 재호 모르게 성훈이 넣어 둔 것이었다. 재호는 빠른 걸음으로 화실을 향해 걸었다. 어두운 복도를 지나 화실 문을 막 열려는 순간, 안에서 성훈의 목소리가 들려왔다.

"여보, 미안해서 어쩌지? 오늘 오후에 그림을 사러 오기로 했던 사람이 오질 않았어. 수민이 생일선물로 곰 인형하고 크레파스 사 간다고 약속했는데, 차비밖에는 없으니 큰일이네."

재호는 차마 화실로 들어가지 못하고 다시 계단을 내려왔다.

2

추운 화실에 앉아 성훈은 굳어진 손에 하얗게 입김을 불어가며 그림을 그렸다. 인형과 크레파스 대신 딸에게 줄 그림 속에는 아기 공룡 둘리가 분홍빛 혀를 내밀며 웃고 있었다. 성훈은 채 마르지 않은 그림을 손에 들고 화실 문을 나섰다. 그런데 바깥 문고리에 비닐 봉지

하나가 매달려 있었다. 어둠 속에서 들여다본 하얀 봉지 속엔 귀여운 곰 인형과 크레파스가 담겨 있었다.

어두운 밤하늘에선 축복처럼 눈이 내리고 있었다. 소리 없이 쌓이는 눈송이처럼 그들의 우정도 소리 없이 깊어갔다.

사랑은 소리 없이 와 닿을 때 가장 아름답다.

비둘기 한 마리가 공사장의 철사 줄에 발이 꽁꽁 묶여버렸습니다.

친구는 말없이 그에게로 다가왔습니다. 그리고

부리가 찢어지도록 피를 흘리며 온종일 철사 줄을 쪼아 댔습니다.

우정은 친구의 슬픔을 함께 나눌 수 있습니다.

진정한 우정은 친구가 잘됐을 때도 친구의 엄마만큼 기뻐하는 것입니다.

천일 동안

민철과 하경은 미술대학의 선후배로 사랑하는 사이였다. 대학 졸업 후 민철은 국전에 출품할 그림을 준비했고, 하경은 광고회사의 디자인실에서 일을 했다.

"한 달 동안이나 민철 씨 얼굴 못 봐서 어떡하지? 오늘 갑자기 결정된 일이라서."

"너 일본에 가고 싶어했는데, 잘됐지 뭐. 이번 연휴 때 같이 제주도나 가려고 했는데……."

"제주도에 또 가려고? 갔다 온 지 얼마 안 됐잖아?"

"지난번에 그린 유채꽃이 마음에 들지 않아서. 그리고 성산포 일출도 다시 그리고 싶구."

일본에 간 하경은 민철의 집으로 여러 번 전화를 했다. 하지만 귀국하기 전날까지도 민철은 제주도에서 돌아오지 않았다. 하경은 일본에서 귀국하자마자 곧바로 민철의 집으로 갔다. 그리고 그의 어머니로부터 상상도 못 했던 민철의 사망소식을 들었다. 바람 한 줄기에도 성큼 아픔으로 다가오는 민철. 하경은 뿌리가 잘려나간 꽃처럼 하루하루 시들어갔다. 그리고 신경쇠약증으로 다니던 직장까지 그만두게 되었다.

이른 아침 하경이 양평에 있는 엄마에게 가려고 짐을 챙기고 있을 때, 후배 유진이 찾아왔다.

"언니, 나랑 화랑 하나 해보지 않을래? 우리 아빠 건물이라 세는 안 내도 되거든."

"글쎄. 아직은 좀……."

"그러지 말고 언니가 좀 도와주라, 응?"

하경은 망설임 끝에 유진과 함께 화랑을 열었다. 무엇보다도 민철과의 추억이 있는 서울을 떠나서 살아갈 자신이 없었던 것이 가장 큰 이유였다.

"언니, 한 날에 한 번씩 그림 사 가는 그 키 큰 남자 말야. 언니를 좋아하는 거 같던데……."

물통에 붓을 씻으며 유진이 말했다.

"유진아, 그런 말 그렇게 쉽게 하는 거 아냐."

"에이, 괜히 그러지 마. 언니도 관심 있잖아. 내 말이 맞지?"

유진의 말에 화가 난 하경은 말없이 화랑을 나와버렸다. 그런데 집으로 오다가 액자를 화랑에 두고 왔다는 것을 알게 되었다. 그 액자 속에는 민철과 함께 찍은 사진이 들어 있었다. 하경은 그 액자를 집과 화랑으로 매일 가지고 다녔다. 남들에게는 귀찮은 일처럼 보일지 몰라도 그나마 그 사소한 일이 그녀의 절망에 작은 위안이 되어 주었다.

하경은 액자를 가져가기 위해 다시 화랑으로 갔다. 하경이 화랑의 문을 열었을 때, 화랑 안은 뿌연 연기로 가득 차 있었다. 과열된 난로 옆에서 불이 붙은 화판이 연기를 내며 타고 있었던 것이었다.

"정말 큰일 날 뻔했어, 언니. 언니 아니었으면 우리 화랑 다 탈 뻔했잖아."

"그러게 난로 점검 좀 잘하지 그랬어?"

"미안해, 언니. 근데 언니 전화 받고 나서 내가 무슨 생각했는지 알아? 민철 오빠가 언니를 지켜주고 있다는 생각을 했어. 오빠 사진이 아니었으면 언니가 화랑에 다시 올 일도 없었잖아."

하경은 슬픈 얼굴로 작업대 위에 놓인 민철의 사진을 바라보았다. 그리움이 폭포처럼 하경의 가슴 위로 쏟아져 내렸다.

사자 바람이 갈퀴를 휘날리며 사납게 불고 있었다. 그 날도 하경은 경복궁 역에서 내려 민철과의 추억을 더듬으며 삼청동 집까지 걸어가고 있었다. 하경은 여느 때처럼 왼쪽에 차고 있던 팔찌를 만지작거렸다. 그때 갑자기 팔찌가 끊어지면서 구슬이 길가로 쏟아져 내렸다. 그 팔찌는 민철과 만난 지 100일째 되던 날 그에게서 받은 선물이었다. 하경은 차도로 굴러간 구슬을 주우려고 서너 걸음 차도 쪽으로 달려갔다. 바로 그때 세찬 바람이 불면서 바로 옆 공사장에서 커다란 물체가 무너져 내렸다. 문짝만한 널빤지가 떨어진 곳은 조금 전 하경이 서 있던 바로 그 자리였다. 하경은 순간, 후배 유진의 말이 생각났다.

'민철 오빠가 언니를 지켜주고 있다는 생각이 들었어.'

하경은 그 자리에 주저앉아 울음을 터트렸다.

하경은 어지러운 마음으로 아침 일찍 집을 나섰다. 하늘에서 내려온 눈송이가 땅 위로 하얗게 제 몸을 누이고 있었다. 경복궁을 지나 세종문화회관까지 걸었다. 그리고 무엇인가에 이끌린 듯 길을 건너 민철의 집으로 가는 버스에 올라탔다.

"하경 언니, 성말 오랜만이에요."

민철의 여동생 선미는 하경을 따뜻하게 맞아 주었다. 하경은 그 날 선미로부터 민철의 동생, 은철의 결혼소식을 들었다.

— 아름다운 영화 『편지』의 한 장면 —

눈을 찌르는 태양빛에도, 사나운 모래바람에도 낙타는 말없이 걸어간다.
전설처럼 아득한 지평선 끝…….
목마른 사막 위에 낙타는 불룩한 등짝 한 켠을 내주고 눈을 감는다.

사랑을 위해 우리는 낙타가 되어야 한다.
인생이라는 사막을 함께 걸으며 묵묵히 견뎌주고,
자신마저 온전히 내줄 수 있는 낙타가 되어야 한다.

민철의 집을 나서던 하경은 우연히 민철의 방 앞에 놓여 있는 운동화를 보았다. 그것을 보고 하경은 순간 몹시 놀랐다.

"아, 저 운동화요? 엄마가 오빠 방문 앞에 늘 저렇게 놔두세요. 저걸 보면 그래도 엄마 마음이 편안해지나 봐요."

그 말을 듣고 하경은 가까스로 마음을 가라앉히며 집을 나섰다. 하지만 선뜻 그의 집 앞 골목을 빠져나갈 수 없었다. 하경은 민철의 방 창문 아래에 몸을 기대고 서서 지난 시절을 회상했다. 바로 그때 민철의 방에서 남자의 울음소리가 희미하게 들려왔다. 그것은 분명 민철의 울음소리였다. 하경은 정신 없이 민철의 집으로 다시 들어갔다.

"선미 씨, 나 방금 전에 민철 씨 목소릴 들었어요. 지금 방에서 울고 있는 사람 민철 씨 맞죠?"

"아니에요, 언니. 저건 작은오빠예요. 민철 오빠 생각나면 늘 저렇게 울어요."

일요일 오후, 결혼식장은 많은 사람들로 붐볐다.

"결혼 축하드려요, 은철 씨."

"지난주엔 죄송했어요. 오신 거 알았는데, 그냥 형 방에 있었거든요. 그 날 괜히 저 때문에 마음만 많이 아프셨지요?"

"아니에요."

은철과 인사를 나누고 하경은 식장 로비에 서 있었다. 그런데 그곳에서 뜻밖의 사람을 만났다. 매달 화랑에서 그림을 사 가던 키 큰 남자가 은철과 반갑게 악수를 하고 있었던 것이다. 집으로 돌아온 후로도 하경은 이상한 생각을 떨쳐버릴 수 없었다. 은철과 반갑게 악수하던 키 큰 남자, 며칠 전에 들었던 은철의 울음소리, 그리고 그때 몹시 당황하던 선미의 모습……. 하경은 소스라치게 놀라며 자리에서 일어섰다.

하경은 민철의 집 맞은편 계단에서 그의 집 쪽을 계속 바라보고 있었다. 그리고 그로부터 일 주일이 지난 어느 날 밤, 민철의 집 대문이 열리더니 한 남자가 걸어 나왔다. 그는 덥수룩한 머리에 모자를 눌러 쓰고 한 걸음 한 걸음 간신히 걸어가고 있었다. 하경은 어두운 곳에 몸을 숨기며 그의 뒤를 따라갔다. 그는 집 앞에 있는 편의점으로 들어가 술을 사고 있었다. 하경은 몸을 숨기고 편의점 안을 들여다보았다.

"……!"

민철이었다. 민철은 다리를 심하게 절며 가까스로 몸을 지탱하고 있었다. 게다가 그의 오른쪽 손목은 안쪽으로 흉하게 오그라들어 있었다. 하경은 차마 민철을 부르지 못하고 그 자리에 앉아 울음을 터트렸다.

"오빠, 이거 오빠한테 온 편진가 본데, 누가 보냈는지 이름도 안

써 있네?"

선미는 방문을 열고 민철에게 편지 한 통을 건네주었다.

"응, 거기다 놔."

"오빠, 제발 술 좀 그만 마셔. 그러다 정말 몸 상하겠다."

민철은 아무런 대꾸도 하지 않고 방문을 닫아버렸다. 그리고 방 바닥에 있던 편지를 입에 물고는 왼손으로 편지의 끝을 찢었다.

'사랑하는 민철 씨에게

이 시간이 내게 남은 마지막 축복이라도 좋아. 민철 씨에게 이 렇게 편지를 쓰고 있다는 게 믿어지지 않으니까. 며칠 전 민철 씨 집 앞 편의점에서 민철 씨를 봤어. 한때는 이 세상 어딘가에 민철 씨가 살아 있을지도 모른다고 생각했던 적도 있어. 하지만 나 혼자 길을 걷고, 밥을 먹고 그림을 그리면서 그러한 희망조차 잊어버렸어.

그 날 민철 씨를 보았을 때 민철 씨가 내 곁을 떠나버린 이유를 알 것 같았어. 하지만 민철 씨가 언제나 내게 말했잖아. 눈에 보이지 않는 것들을 그림 속에 담고 싶다고……. 눈에 보이는 것들은 사소 한 것에 지나지 않는다고 말야. 민철 씨 모습은 언제나 나의 모습이 라고 생각했어. 지금의 민철 씨 모습도 바로 내 모습이야. 민철 씨를 보기 전에 일 주일을 꼬박 집 앞에서 기다렸어. 날이 어두워지기 시 작해서 자정이 될 무렵까지 여섯 시간을 겨울 바람 속에 웅크리고 앉아, 나 이런 생각을 했어. 지난 삼 년 동안 나에게 이만큼의 소망

만이라도 있었다면 얼마나 좋았을까 하고 말야. 민철 씨, 다시는 나를 떠나지 말아. 다시는……'

"유진아, 솔직히 말해줘. 민철 씨 살아 있는 거, 넌 처음부터 알고 있었지?"

하경은 유진에게 다그치며 물었다.

"무슨 소릴 하는 거야, 언니? 민철 오빠가 살아 있다니?"

"그럼 너, 왜 날 속였어? 이 건물도 너의 아버지랑 아무 상관없는 거잖아? 낮에 평화부동산에 갔다가 알게 됐어."

"…… 사실은 화랑 시작할 때, 민철 오빠 동생 은철 씬가 하는 사람이 학교로 날 여러 번 찾아왔어. 처음엔 많이 망설였지만, 언니를 위해서 그게 더 나을 거 같다는 생각이 들어서……. 이 화랑 은철 씨가 얻어준 거야. 매달 월세까지도……. 미안해 언니."

하경은 그 날 저녁 민철의 집으로 갔다. 울지 않으리라 다짐했지만, 민철의 방으로 들어서는 순간 하경은 울음을 터트리고 말았다.

"어서 돌아가. 그리고 다신 여기 오지 마. 그 동안 너를 속였던 건 너를 위해서가 아냐. 나를 위해서 그런 거야. 나를 똑똑히 봐. 나는 평생 이런 몸으로 살아야 돼. 걷기도 너무 힘들고, 그림 그릴 손까지도 호미처럼 이렇게 오그라들었단 말야. 나 같은 병신의 마음을 네가 이해할 수 있을 것 같아?"

민철은 미친 사람처럼 소리쳤다.

"민철 씨, 그러지 마. 나도 그 동안 얼마나 힘들었는데."

"내 속이 얼마나 흉측하고 더러워졌는지 넌 몰라. 넌 감당 못해. 성한 사람들끼리도 살다보면 싫증내는데, 하물며 나 같은 병신한테……. 이 방에서 어서 나가. 그리고 다시는 여기 오지 마."

하경은 울면서 민철의 집을 나왔다.

며칠 후 화랑으로 민철의 여동생 선미가 찾아왔다.

"제주도에서 사고를 당했어요. 일출을 그릴 장소를 찾다가 성산포 높은 곳에서 실족하는 바람에 그만……. 그 사고로 척추 신경을 많이 다쳤어요. 그래서 걸음도 잘 못 걷고 오른손도 그 지경이 된 거예요. 지금은 왼손으로 그림 연습을 하고 있는데, 많이 힘든가 봐요. 언니가 우리 오빠 좀 도와주세요."

하경이 민철의 집으로 다시 갔을 때, 민철은 이미 집을 떠나고 없었다. 편지 한 장만 남기고 떠난 그의 거처를 아는 사람은 아무도 없었다. 걷잡을 수 없는 절망이 또 다른 어둠 속으로 하경을 몰아넣고 있었다.

민철의 어머니로부터 그가 있는 곳을 알아낸 것은 그로부터 6개월이 지난 뒤였다. 민철은 경기도 가평에 있는 외삼촌 집에서 생활하고 있었다.

민철은 지난밤에 그리던 그림을 마무리하기 위해 이른 새벽에 일어났다. 그리고 물통을 들고 마당으로 나오다 우연히 대문 앞에 놓여진 물건을 발견했다. 치자색 한지로 곱게 포장된 상자 위에는 노란색 편지 봉투가 놓여 있었다.

'민철 씨, 나 하경이야. 민철 씨가 내 곁을 영영 떠났을 때도 나는 민철 씨를 보내지 않았어. 그런데 이렇게 살아 있는 민철 씨를 그대로 보낼 수는 없잖아. 민철 씨도 나 없이 살아 갈 수 없다는 거 알아. 그래서 민철 씨는 죽어서도 내게 화랑도 얻어주고, 매달 은철 씨 친구를 통해 그림도 사 가게 했잖아. 다시는 민철 씨 보내지 않을 거야. 다만 그때까지 내 기다림에 대해서만 생각할 거야.

민철 씨, 나 그만 갈게. 민철 씨 아픔보다 내가 더 아파할 수 있을 때 다시 올게. 그 시간이 멀지 않았다는 걸 나 알아. 민철 씨가 다시 내게로 돌아오리라는 것도……. 함께 보낸 그림은 삼 년 만에 민철 씨를 처음 보던 날, 집으로 돌아와 밤새 그린 거야.'

민철은 치자색 한지를 조심스럽게 뜯었다. 안에 있는 그림을 보는 순간, 눈물 한 방울이 그의 얼굴을 타고 흘러내렸다. 그림 속에서 민철과 하경은 서로 마주보고 있었다. 그리고 웨딩드레스를 입은 하경은 오그라든 민철의 오른손에 뜨겁게 입을 맞추고 있었다.

민철은 마을 입구 쪽을 향해 한 걸음씩 힘겹게 걷기 시작했다. 한참을 걸었을 때 마을 입구를 빠져나가는 하경의 뒷모습이 보였다.

"하경아!"

고개를 숙인 채 걷고 있던 하경은 민철이 부르는 소리에 걸음을 멈췄다. 그리고 민철에게 달려와 그의 품에 안겼다.

"하경아! 미안해."

울고 있는 하경의 어깨 위로 민철의 눈물이 흘러내렸다. 그리고 어둠이 채 가시지 않은 새벽 하늘에선 오래 전의 약속인양 눈발이 날리기 시작했다.

힘든 세상

이른 새벽,
한 젊은이가
전봇대에 구인광고를 붙이며 바쁘게 지나갔다.
그리고 잠시 후, 길을 지나던 한 사내가
진지한 얼굴로 구인광고 앞에 발을 멈췄다.

며칠 후,
구청에 임시 고용된 노인들이
물 젖은 솔로 광고지를 벗겨냈다.
그리고 깨끗해진 전봇대를
확인하러 구청직원이 다녀갔다.

종이 한 장이
이토록 많은 사람들을 먹여 살린다.
종이 한 장에
여러 사람들의 엄숙한 삶이 힘겹게 매달린다.

한 장의 종이가 예사롭지 않은 세상
지금, 우리는 얼마나
힘겨운 세상을 살아가고 있는가.

할머니가 인생의 고갯길을 내려가고 있습니다.
발걸음은 무겁지만, 몸은 가볍습니다.
한평생을 열심히 살아온 대가, 가벼움입니다.
깃털처럼 가벼워져야 하늘나라로 오를 수 있을 테니까요.
새 살로 날개를 만들려고, 할머니의 온몸은 주름져 있습니다.

그 옛날, 할머니도 얼룩진 담벼락에
친구의 동그란 얼굴을 그렸겠지요.
시간이 지나면
올라간 모든 것들은 반드시 내려와야 합니다.